Mitos e Sagas
NÓRDICOS

PandorgA

Direção Editorial
Silvia Vasconcelos

Produção Editorial
Juliana Santoros Miranda

Tradução
Fátima Pinho
Juliana Garcia

Preparação e Revisão
Fernanda R. Braga Simon

Capa e Projeto gráfico
Lumiar Design

Texto de acordo com as normas do Novo Acordo Ortográfico da Língua Portuguesa (Decreto Legislativo nº 54, de 1995)

Dados Internacionais de Catalogação na Publicação (CIP)
Ficha elaborada por: Vagner Rodolfo da Silva - CRB-8/9410

A544m Andersen, Hans Christian
Mitos e sagas / Hans Christian Andersen, Snorri Sturluson ; traduzido por Fátima Pinho, Juliana Garcia. - Cotia, SP : Pandorga, 2020.
252 p. ; 14cm x 21cm.

ISBN: 978-85-8442-468-9

1. Literatura. 2. Mitos. 3. Sagas. I. Sturluson, Snorri. II. Pinho, Fátima. III. Garcia, Juliana. IV. Título.

2020-233 CDD 890
CDU 82-9

Índices para catálogo sistemático:

1. Literatura 890
2. Literatura Diversos 82-93

2020
IMPRESSO NO BRASIL
PRINTED IN BRAZIL
DIREITOS CEDIDOS PARA ESTA EDIÇÃO À
EDITORA PANDORGA
Rodovia Raposo Tavares, km 22
Granja Viana – Cotia – SP
Tel. (11) 4612-6404

www.editorapandorga.com.br

SUMÁRIO

APRESENTAÇÃO

O ser humano sempre teve fascínio por entender a origem da vida e o mundo como vemos hoje. De onde viemos? Como tudo começou? De onde surgiram as coisas que conhecemos? Todas essas perguntas são inerentes ao ser humano. Os povos antigos tentavam responder a esses questionamentos por meio de narrativas de caráter simbólico-imagético de deuses, heróis e figuras sobrenaturais que explicavam fatos da realidade e fenômenos da natureza. A essas narrativas damos o nome de mitos.

Estamos falando de histórias muito antigas, de tempos em que a escrita ainda não existia ou não era difundida. Elas passavam, então, de geração a geração oralmente, sendo contadas ou cantadas em casa e, em alguns lugares do mundo, sendo usadas como fonte de educação nas primeiras escolas. A essa prática chamamos de "tradição oral". É de se imaginar, portanto, que não haja apenas uma versão desses mitos, e sim inúmeras, com incontáveis diferenças.

Portanto, ao falarmos em mitologia, independentemente do lugar no mundo, estamos falando de contos gerados pelo imaginário popular e que foram sendo transmitidos oralmente e transformados através das gerações até que, em algum momento, alguém resolveu compilá-los, colocando-os no papel.

Com relação à mitologia nórdica, temos duas grandes compilações de mitos: as *Eddas*, na região da Escandinávia, e a *Kalevala*, na Finlândia e em algumas comunidades minoritárias.

A compilação das *Eddas* é atribuída a Snorri Sturluson e datam aproximadamente dos anos 1220 a 1225. Sturluson condensou as extensas sagas em histórias em prosa que tornaram consistentes os vários relatos da mitologia nórdica. Atualmente, as *Eddas* em verso e em prosa são a mais importante fonte original de informações sobre a mitologia e os heróis escandinavos. Especula-se que a denominação "*edda*" seja originária do termo "*eda*", que significa "bisavó" em um antigo poema nórdico. Como são contos transmitidos de geração a geração, representam algo como "contos da bisavó". Outra teoria acerca da origem do termo é de que "*edda*" significa "poética". Também existe outra versão que defende, por sua vez, a tese de que a palavra significa "O livro de Oddi", já que Sturluson foi educado em Oddi, na Islândia.

Existem duas versões das *Eddas*: em prosa, também conhecida como *Edda* Prosaica, *Edda* Menor ou *Edda* de Snorri; e em verso, denominada também *Edda* Poética, *Edda* Maior ou *Edda* de Saemund.

Já a *Kalevala* foi compilada por Elias Lönnrot no século XIX e é tida como a épica nacional da Finlândia e da Carélia. A *Kalevala* é considerada um dos mais importantes trabalhos da literatura da língua finlandesa.

A primeira versão da *Kalevala* (chamada de *Kalevala* Antiga) foi publicada em 1835. A versão mais conhecida atualmente foi publicada pela primeira vez em 1849 e consiste em 22.795 versos, divididos em cinquenta *runot* ou cantos.

Ainda na esfera da tradição popular, os nórdicos são famosos por suas sagas. A palavra "saga" vem do nórdico antigo e significa "o que é dito/contado". A grande maioria das sagas a que temos acesso tem origem na Islândia, ainda que também existam algumas originárias de outros países escandinavos. Diferentemente dos mitos, as sagas não contam histórias de deuses, e sim de atos heroicos praticados por humanos. Atualmente, o conceito de saga sofreu alterações, e uma série de livros ou uma história longa com muitas aventuras também é conhecida como saga, distanciando-se do significado original.

Neste volume, você vai encontrar uma seleção de alguns dos mais interessantes mitos e sagas dos povos que viveram nessa região gelada e distante do planeta, traduzidos em linguagem acessível para todos.

Mitos

A CRIAÇÃO DO COSMOS

YMIR E A VACA AUDHUMLA

Antes de o céu, o chão ou qualquer natureza existir, havia apenas o frio e o calor. O frio era Nifelheim, um mundo de escuridão, frio e nevoeiro. O calor era Muspelheim, o mundo do calor eterno. Entre esses dois mundos, havia um grande abismo, cujo nome era Ginnunga-gap.

As chamas vindas de Muspelheim e o gelo vindo de Nifelheim deslocaram-se em direção um ao outro e se encontraram sobre o abismo de Ginnunga-gap. Desse encontro entre frio e calor surgiu uma criatura estranha, um enorme ogro chamado Ymir, o maior gigante que já existiu. Quando o gelo derreteu, as gotas formaram outra criatura, com úberes e chifres: uma vaca colossal chamada Audhumla, que tinha tetas enormes, de onde o leite nevado escorria como um rio caudaloso. Foi assim que Ymir encontrou sustento.

O gigante Ymir era hermafrodita e teve filhos consigo mesmo. Enquanto dormia, começou a suar e, de repente, um macho e uma fêmea emergiram de sua axila esquerda. Depois Ymir uniu os dois pés e deu à luz um filho com seis cabeças. Assim nasceram os gigantes do gelo, conhecidos como *trolls* ou ogros. E foi assim também que Ymir, que era um gigante destrutivo, acabou se tornando o pai dos gigantes do gelo.

E Audhumla? A vaca lambia as pedras salobras e cobertas de gelo que estavam ao redor dela e do gigante. Então, algo estranho aconteceu. De repente, a forte lambida do ruminante arrancou de uma das pedras longos fios de cabelo. No dia seguinte, da mesma pedra emergiram uma cabeça e um rosto. No terceiro dia, a vaca finalmente extraiu com suas lambidas um corpo inteiro. Era um menino, alto e bonito. Seu nome era Buri, o primeiro dos deuses do Æsir[1], e dele descendem todos os deuses.

Quando os gigantes tomaram consciência da existência do deus Buri e de seu filho Borr, começaram a travar uma guerra contra eles, pois, como os deuses e os gigantes representavam as forças opostas do bem e do mal, não havia perspectiva de viverem juntos e em paz. A luta se prolongou por eras, sem que nenhuma das partes obtivesse uma vantagem decisiva, até Borr se casar com a giganta Bestla, filha de Bolthorn (Espinho do Mal), que lhe deu três filhos poderosos, metade deuses, metade gigantes: Odin (Espírito), que mais tarde se tornaria o deus supremo do Æsir, e seus dois irmãos, Vili (Vontade) e Ve (Piedoso).

1. Æsir são um grupo de deuses que residem em Asgard.

Esses três filhos imediatamente se juntaram ao pai na luta contra os hostis gigantes do gelo e sua linhagem. Travou-se uma batalha feroz, da qual Odin e seus irmãos saíram vitoriosos. Os deuses mataram o gigante, e o sangue que jorrou da ferida de Ymir foi tanto que quase todos os gigantes do gelo se afogaram na correnteza. Apenas o gigante Bergelmer e sua mulher conseguiram escapar da enchente, em um baú, e chegar à montanha de Jotunheim, que se tornou a casa dos gigantes. Desses dois gigantes, que fugiram pelo nevoeiro em busca de refúgio na terra das brumas, vêm todas as gerações posteriores de gigantes do gelo.

Audhumla, a primeira vaca, certamente também foi arrastada pelas ondas e caiu no abismo, já que, depois daquele banho de sangue, ninguém mais teve notícias dela.

MIDGARD, O MUNDO DOS HOMENS

Então os deuses alados arrastaram o corpo de Ymir para o centro do imenso vazio, Ginnunga-gap, e o colocaram como uma cobertura no abismo. Depois, do corpo sem vida do gigante criaram o mundo. O sangue de Ymir deu origem a oceanos, rios, lagos e fontes, e com sua pele e músculos os deuses criaram Midgard, como chamavam a Terra. Os ossos do colosso transformaram-se em montanhas e penhascos, e os dentes e lascas de ossos quebrados, em pedras e pedregulhos. Do cabelo ondulado nasceram as árvores, as plantas, as flores e a grama, e do cérebro foram feitas as nuvens. O crânio do gigante foi colocado como uma abóboda que cobria a terra e os oceanos. Por fim, estava criada a Terra.

A Terra era um grande círculo rodeado pelo oceano. Com as sobrancelhas do gigante, os deuses construíram uma enorme cerca ao redor dela para manter os gigantes afastados da raça de homens que eles pretendiam criar. Uma enorme serpente, chamada Jormungand, a Serpente, rodeia toda a extensão do círculo da Terra, devorando qualquer homem que queira sair de Midgard.

Para dar luz ao mundo recém-criado, os deuses pegaram faíscas do Muspelheim em chamas e as penduraram no céu, onde até hoje elas brilham, dentro do que um dia foi o crânio de Ymir. E foi assim que surgiram as estrelas. As mais vívidas dessas faíscas, no entanto, foram reservadas para a fabricação do sol e da lua, que foram colocados em belas carruagens de ouro.

MANI E SOL, NOTT E DAG

As carruagens estavam prontas, e os corcéis já estavam com seus arreios e impacientes para começar sua ronda diária. Mas quem os guiaria pelo caminho certo? Os deuses olharam ao redor e viram os dois filhos do gigante Mundilfari, que, muito orgulhoso da beleza de seus filhos, havia dado a eles os nomes dos orbes recém-criados: Mani (Lua) e Sol. Ultrajados pela arrogância de Mundilfari, os deuses deram aos irmãos a tarefa de conduzir para sempre os corcéis com seus respectivos nomes. Assim, os dois foram transferidos para o céu e, dia após dia, cumprem seus deveres e guiam seus corcéis pelos caminhos celestes.

Em seguida, os deuses convocaram Nott (Noite), filha de Norvi, um dos gigantes, e confiaram aos cuidados dela uma carruagem escura, puxada por Hrim-faxi (Crina de Geada), de cuja crina ondulante o orvalho e a geada caíam sobre a Terra. A deusa da noite havia sido casada três vezes. Com o primeiro marido, Naglfari, ela teve um filho chamado Aud; com o segundo, Annar, uma filha chamada Jord (Terra); e do terceiro casamento, com o deus Bellinger (Amanhecer), nasceu outro filho, de radiante beleza, que recebeu o nome de Dag (Dia).

Assim que os deuses souberam da existência desse belo ser, deram a ele uma carruagem, puxada por um corcel branco e resplandecente chamado Skin-faxi (Crina Brilhante), de cuja crina brilhante saíam raios de luz que se espalhavam em todas as direções, iluminando todo o mundo e trazendo luz e alegria a todos.

Enquanto o Dia era puro, belo e cheio de luz, pois descendia da raça bondosa dos deuses, a Noite era escura e sombria, pois era filha dos gigantes frios.

Os deuses não apenas designaram Sol, Lua, Dia e Noite para marcar a marcha do ano, mas também o Entardecer, a Noite alta, a Manhã e a Tarde para compartilhar seus deveres, tornando o Verão e o Inverno os governantes das estações.

ANÕES E ELFOS

Enquanto os deuses estavam ocupados em criar a Terra e prover sua iluminação, toda uma multidão de criaturas parecidas com larvas estava se reproduzindo na carne de Ymir.

Esses seres rudes começaram a atrair a atenção divina. Convocando-os, os deuses primeiro lhes deram formas e os dotaram de inteligência sobre-humana e depois os dividiram em duas grandes classes. Aqueles que eram escuros, traiçoeiros e astuciosos por natureza foram banidos para Svart-alfaheim, o mundo dos anões escuros, situado no subsolo, de onde nunca podiam sair durante o dia, sob pena de serem transformados em pedra. Eles receberam o nome de Anões, *Trolls*, Gnomos ou *Kobolds* e gastavam todo o seu tempo e energia explorando os recantos secretos da Terra. Coletavam ouro, prata e pedras preciosas, que guardavam em fendas secretas, de onde podiam retirá-los de acordo com sua vontade. Os deuses escolheram quatro deles para segurar a abóbada celeste e monitorar os quatro cantos do universo. São os anões chamados Leste, Oeste, Norte e Sul.

As outras pequenas criaturas, incluindo todas as que eram justas, boas e úteis, os deuses chamaram de Fadas e Elfos e as enviaram para habitar o reino arejado de Alfheim (Casa dos Elfos de Luz), situado entre o céu e a terra, de onde podiam voar, sempre que quisessem, para cuidar das plantas e das flores, brincar com os pássaros e as borboletas ou dançar na relva sob o luar prateado.

ASK E EMBLA, OS PRIMEIROS HUMANOS[2]

Embora os deuses, desde o começo, tivessem designado Midgard como morada do homem, no princípio não havia seres humanos para habitá-lo. Midgard tinha belas paisagens, porém não havia alguém para vê-las ou ouvir o canto dos pás-

2. Os dois primeiros humanos, de acordo com a mitologia nórdica, foram alvo de várias referências e representações artísticas. Uma escultura representando os dois pode ser encontrada na cidade sueca de Sölvesborg, criada em 1948 por Stig Blomberg. Ask e Embla são retratados em dois dos dezesseis painéis de madeira encontrados na prefeitura de Oslo, na Noruega.

saros ou contemplar as nuvens e as estrelas no céu. Um dia, Odin, Vili e Ve caminhavam pela orla da praia quando encontraram dois troncos de árvores que ali chegaram trazidos pela maré. O primeiro era um tronco de freixo, e o segundo, de olmo. Os deuses inicialmente contemplaram em silêncio a madeira inanimada, maravilhados com a rude aparência de forma humana que os troncos tinham. Então, percebendo o uso a que se destinavam, os deuses colocaram os dois troncos em pé na areia e deram vida a eles. Odin deu vida e alma aos dois troncos. Vili lhes concedeu movimentos, vontade própria e inteligência. Ve esculpiu os troncos, dando a eles a forma humana. Esculpiu as orelhas, para que pudessem ouvir, os olhos, para que pudessem ver, e os lábios, para que pudessem falar. Depois, esculpiu o freixo com os órgãos genitais masculinos e o chamaram de Ask (Freixo), e o olmo com os da mulher, e chamaram-na Embla (Olmo).

Assim, dotados de fala e pensamento e com o poder de amar, de ter esperança e de trabalhar, o homem e a mulher recém-criados foram deixados para governar Midgard à vontade. Eles gradualmente povoaram a cidade com seus descendentes, enquanto os deuses, lembrando que os haviam chamado à vida, tinham um interesse especial em tudo o que faziam, cuidavam deles e muitas vezes garantiam sua ajuda e proteção.

A ÁRVORE YGGDRASIL

Em seguida, Odin criou um enorme freixo chamado Yggdrasil, a árvore do universo, do tempo ou da vida, que alcançava todo o mundo e tinha raízes não apenas nas profundezas mais remotas de Niflheim, onde borbulhava o rio Hvergelmir, mas também em Midgard, perto do poço de Mímir (Oceano), e em Asgard, perto da fonte de Urdar.

Com três grandes raízes, a árvore alcançava uma altura tão maravilhosa que seu galho mais alto, chamado Lerad (Pacificador), dava sombra ao salão de Odin, enquanto os outros galhos largos se erguiam sobre os outros mundos. Havia uma águia empoleirada no galho de Lerad, e entre seus olhos estava o falcão Vedfolnir, que lançava seus olhares penetrantes para o céu, a terra e Niflheim e relatava tudo o que via.

Ao lado das três raízes, havia três poços.

As Nornas cuidavam da raiz perto da fonte de Urdar. Todos os dias, elas retiravam água da fonte sagrada e a derramavam sobre a raiz e o solo para que pelo menos essa raiz não apodrecesse ou decaísse como as outras. A lama branca e úmida ao redor da fonte fazia com que o néctar caísse na Terra, mantendo sempre verde o vale ao redor da fonte.

Como a árvore Yggdrasil era sempre verde e suas folhas nunca murchavam, servia de pasto não apenas para a cabra de Odin, Heidrun — que fornecia o hidromel celestial, a bebida dos deuses —, mas também para os antílopes Dain, Dvalin, Duneyr e Durathor, de cujos chifres o orvalho descia sobre a Terra, fornecendo água para todos os rios do mundo.

O segundo poço era o Poço de Mímir, também conhecido como "Poço do Conhecimento". Dizia-se que ele era guardado pelo deus Æsir chamado Mímir, o deus nórdico da sabedoria.

No terceiro poço, Hvergelmir (Caldeirão que Ruge), vive uma serpente gigante chamada Nidhogg, que rói continuamente a raiz de Niflheim. No fim dos tempos, Nidhogg irá se infiltrar na raiz, causando a destruição de Yggdrasill. Mas isso não acontecerá até que Ragnarok[3] chegue.

Correndo continuamente para cima e para baixo nos galhos e no tronco da árvore, o esquilo Ratatosk (Dente Perfurador) passava seu tempo repetindo ao dragão lá de baixo os comentários da águia lá de cima, e vice-versa, na esperança de provocar conflitos entre eles.

A PONTE BIFROST

Naturalmente, era essencial que a árvore Yggdrasil fosse mantida em uma condição perfeitamente saudável, e essa tarefa era realizada pelas Nornas (Destinos), que diariamente a aspergiam com as águas sagradas da fonte de Urdar. Essa água, enquanto escorria para a Terra através de galhos e folhas, fornecia mel às abelhas.

De ambos os lados de Niflheim, arqueando-se acima de Midgard, erguia-se a ponte sagrada, Bifrost[4] (Arco-íris), construída de fogo, água e ar, pela qual os deuses viajavam de Asgard para a Terra ou para o poço de Urdar, aos pés do freixo Yggdrasil, onde se reuniam diariamente em conselho.

De todos os deuses, somente Thor, o deus do trovão, nunca passou por cima da ponte, por medo de que seus passos pesados ou o calor de seus raios a destruísse.

O deus Heimdall a guardava e vigiava noite e dia. Ele estava sempre armado com uma espada afiada e carregava uma

3. Resumidamente, Ragnarok é uma série de acontecimentos catastróficos que causaria o fim do mundo.

4. De acordo com a mitologia, Bifrost é o único acesso a Asgard.

trombeta chamada Giallarhorn, na qual tocava uma nota suave para anunciar a vinda ou a ida dos deuses, mas da qual soaria uma explosão terrível quando Ragnarok chegasse e os gigantes do gelo e Surtr[5] se unissem para destruir o mundo.

Todas essas maravilhas os deuses generosos criaram antes de partir para Asgard, sua morada, atravessando essa maravilhosa ponte com muitas cores que todos conhecemos pelo nome de arco-íris.

5. Surtr também é um gigante do gelo e, de acordo com a mitologia, ele lançará fogo nos nove mundos no Ragnarok.

OS DEUSES NÓRDICOS

Na mitologia nórdica, é importante discernir os três diferentes clãs de deuses: os Æsir, os Vanir e os Jotun (gigantes).

Os Æsir vivem em Asgard junto com as Asynjur (deusas) e são eles que formam a assembleia cujo chefe é Odin, a mais importante de todas as divindades nórdicas.

Entre os deuses que fazem parte desse clã estão Thor, divindade associada à força, detentor de um cinto mágico e muito próximo a Odin na hierarquia divina. Está também Balder, deus da bondade e da beleza e filho de Odin. Outros deuses desse clã são Tyr, ligado à guerra, e Bragi, deus da sabedoria e da oratória, além de Heimdall, Hoder, Vidar, Váli, Forseti, Ull e Loki. Da mesma forma, entre o grupo de deusas pertencentes a esse panteão nórdico em particular estão: a esposa de Odin, chamada Frigg, que tinha o dom da providência; a curadora Eir; Sjofn, que guia os homens para o sentimento de amor; Var, associada aos juramentos; Syn, encarregada de guardar as portas ou a mulher de Bragi, Iunn, que é encarregada de cuidar das maçãs destinadas a serem mordidas pelas divindades quando atingirem a velhice.

Embora os habitantes originais do céu fossem os Æsir, eles não eram as únicas divindades das raças do norte. Esse povo reconhecia também o poder dos deuses do mar e do vento, os Vanas, que viviam em Vana e governavam seus reinos segundo sua própria vontade. Nos primeiros tempos, antes da construção dos palácios dourados em Asgard, ocorreu uma disputa entre os Æsir e os Vanas, que recorreram às armas, usando rochas, montanhas e *icebergs* como mísseis na briga. No entanto, percebendo que somente na unidade havia força, entraram em acordo e fizeram a paz. Para ratificar o tratado, trocaram reféns. Foi assim que Van, o Niord, veio morar em Asgard com seus dois filhos, Frey e Freya, enquanto o Æsir Hoenir, irmão de Odin, passou a morar em Vanaheim.

A GUERRA ENTRE ÆSIR E VANIR

Asgard era o lar dos Æsir, a raça dos deuses e deusas da guerra, como Odin e Thor. No mesmo nível do mundo ficava Vanaheim, lar dos Vanir, os deuses do mar e do vento, e das deusas da prosperidade e fertilidade, como Frey e Freya.

Freya era a deusa Vanir que mais praticava a arte de prever e tentar mudar o curso do destino. Ela ia de cidade em cidade exercendo seu dom. Um dia, Freya foi a Asgard usando o nome Heidi (Iluminada). Inicialmente, os Æsir ficaram encantados com seus poderes e quiseram seus serviços, mas, por fim, perceberam que o egoísmo da deusa superava qualquer valor de honra, lealdade ou obediência. Começaram, então, a culpá-la pelos seus infortúnios e passaram a chamá-la de Gullveig, a gananciosa por ouro. Decidiram que o mundo seria um lugar melhor sem ela e tentaram assassiná-la por três vezes jogando-a ao fogo, mas nas três vezes ela renasceu das cinzas.

Quando os Vanir souberam que os Æsir haviam feito isso com Freya, juraram vingança e começaram a se preparar para a guerra. Odin, sentado em seu trono alto, viu os preparativos, e logo os Æsir também se prepararam para o combate. Os dois clãs se encontraram, Odin arremessou sua lança em direção a Vanir, e a guerra teve início. Contudo, o povo de Freya logo tomou vantagem: usando mágica, conseguiram destruir as muralhas de Asgard. Os Æsir, porém, não desistiram e logo causaram dano similar a Vanaheim. A guerra se prolongou por muito tempo e, a cada dia, ficava mais claro que nenhum lado sairia vitorioso.

As duas partes, cansadas da guerra, negociaram uma trégua e decidiram viver juntos e em paz. Para garantir que isso acontecesse, líderes dos dois lados foram trocados: Njord, seu filho Freyr e sua filha Freya, que eram os principais Vanir, viajaram para Asgard e, em troca, os Æsir enviaram Hoenir e Mímir a Vanaheim.

Njord e seus filhos parecem ter vivido mais ou menos em paz em Asgard. Infelizmente, o mesmo não aconteceu com Hoenir e Mímir em Vanaheim. Os Vanir viram que Hoenir era aparentemente capaz de fornecer conselhos incomparavelmente sábios sobre qualquer problema, mas não perceberam que isso só acontecia quando ele tinha Mímir ao seu lado.

Hoenir era, na verdade, pouco inteligente e não sabia tomar decisões quando Mímir não podia ajudá-lo. Os Vanir acharam que haviam sido traídos na troca e decapitaram Mímir, enviando sua cabeça de volta a Asgard. Odin recitou poemas mágicos sobre os restos de seu guerreiro e os embalsamou com ervas. A cabeça de Mímir, preservada, continuou dando conselhos indispensáveis a Odin quando era necessário.

As duas tribos ainda estavam cansadas de brigar e preferiram restabelecer a paz. As divindades selaram seu tratado de paz reunindo-se para produzir uma bebida alcoólica por um método antigo e comunitário: todos no grupo mastigavam bagas e cuspiam o restante em uma única cuba. O líquido era, então, fermentado. Naquela ocasião, entretanto, o líquido formou o deus Kvasir[6] (Suco de baga fermentado).

O HIDROMEL DA POESIA

Ao fim da guerra entre Æsir e Vanir, os deuses selaram sua trégua cuspindo em uma grande tigela. De seu cuspe formou-se Kvasir, o humano mais sábio e bondoso que já existiu. Ninguém conseguia apresentar a ele uma pergunta à qual não tivesse uma resposta satisfatória.

Os anões Fjalar e Galar, ouvindo falar da grande sabedoria de Kvasir, cobiçaram-na. Um dia, encontraram Kvasir dormindo, mataram-no e derramaram seu sangue em duas

6. O nome está certamente relacionado ao *Kvas* russo, bebida similar a uma cerveja.

cubas e um pote, chamados Boden, Són e Ódhroerir. Depois misturaram o sangue com mel, criando, assim, um hidromel tão inspirador que fazia com que qualquer um que o bebesse se tornasse um poeta ou erudito. Os anões disseram aos deuses que Kvasir havia sufocado em inteligência.

O assassinato trouxe aos duendes a sede pelo sangue. Logo após matarem Kvasir, encontraram o gigante Gilling deitado em uma margem íngreme, jogaram-no ao mar e o afogaram por pura diversão. O choro da viúva de Gilling também os irritou, e decidiram matá-la também. O filho do casal, Suttung, ao saber dos assassinatos, perseguiu os duendes e, enquanto a maré estava baixa, levou-os a um rochedo, onde seriam cobertos em breve pelas ondas. Os duendes imploraram a Suttung por suas vidas, e o gigante concordou em não os matar, com a condição de que entregassem a ele o hidromel que haviam feito com o sangue de Kvasir.

Suttung pegou, então, o precioso líquido e o confiou à sua filha Gunnlod, para que ela o protegesse dia e noite e não deixasse que nem os deuses nem os mortais provassem dele. Para melhor cumprir sua tarefa, Gunnlod carregou os três potes para a montanha de Hnitbjorg, onde criou uma câmara nas profundezas e lá guardou o hidromel.

Os rumores sobre o que havia acontecido com Kvasir e sobre o hidromel chegaram ao Æsir. Odin decidiu que voltaria a Jotenheim para recuperar aquele tesouro e se disfarçou de um homem chamado Bolverkr (Trabalhador da dor).

Bolverkr viajou até Jotenheim e encontrou um vale onde nove homens trabalhavam ceifando a grama. Conversando com eles, descobriu que aqueles homens trabalhavam para Baugi, irmão de Suttung. Ele percebeu que o ritmo do trabalho era lento porque as foices não estavam afiadas e se ofereceu para ajudar. Os homens aceitaram a ajuda prontamente e ficaram maravilhados ao ver como o trabalho podia ser feito mais rápido com as foices afiadas pela pedra de amolar. Pouco tempo depois, pediram para comprar aquele amolador. Bolverkr disse que poderia vender a pedra, mas que, como havia apenas uma, iria jogá-la para cima e quem conseguisse pegá-la seria seu novo dono. Quando Odin, disfarçado, arremessou a pedra, os trabalhadores todos se atiraram para tentar pegá-la e, no meio da aglomeração, acabaram tendo suas gargantas cortadas com as foices recém-afiadas e caíram todos mortos. Bolverkr pegou de volta sua pedra e continuou a jornada.

Naquela mesma noite, Bolverkr apareceu na fazenda de Baugi, o gigante, e pediu para passar a noite lá. Baugi não parecia feliz e descreveu como nove de seus trabalhadores haviam morrido e como seria difícil conseguir alguém para substituí-los naquela época do ano. Bolverkr se ofereceu para fazer o trabalho de todos os trabalhadores mortos até o fim da estação, com a condição de que Baugi o ajudasse a obter um gole do hidromel da poesia de seu irmão. Baugi explicou que ele não tinha esse poder, mas, ao fim, concordou em tentar ajudar o hóspede a conseguir o que este desejava.

Bolverkr trabalhou até o fim daquele verão. Ao final da estação, Baugi pediu ao irmão um gole do hidromel, mas Suttung se recusou a atender ao pedido. Então Baugi concordou em ajudar Bolverkr a enganar Suttung e foram juntos até a montanha Hnitbjorg. Bolverkr conjurou uma broca e pediu que o irmão do gigante fizesse um buraco para alcançar a câmara onde o hidromel estava guardado. Depois de algum tempo, Baugi declarou que havia conseguido atingir o lugar que buscavam. No entanto, o deus, desconfiado, simplesmente assoprou no buraco, e, quando a poeira e as lascas voaram em seu rosto, Bolverkr mandou que Baugi voltasse ao trabalho e não o tentasse enganar novamente.

Mais uma vez, Baugi disse que havia conseguido chegar ao oco da montanha. Dessa vez, o sopro de Bolverkr entrou na montanha e ele constatou que Baugi estava dizendo a verdade. Imediatamente, Bolverkr se transformou em uma cobra e entrou pelo buraco aberto. Baugi tentou impedir a cobra com a broca, mas era tarde demais.

Ao chegar ao interior da câmara, Odin reassumiu o formato de deus e se apresentou à bela Gunnlod, filha de Suttung, que, sentada em um banquinho de ouro, guardava o hidromel. Odin pretendia conquistar o amor da giganta para induzi-la a conceder a ele um gole de cada um dos potes. Apaixonada, Gunnlod concordou em se tornar esposa de Odin e, depois de passar três dias com ele no interior da montanha, ela foi buscar os potes no esconderijo e disse que ele poderia tomar um gole de cada um. Em três goles, ele esvaziou os caldeirões.

Depois de obter o que queria, Odin se transformou em uma águia e fugiu voando pelos ares. Ao vê-lo, Suttung também se transformou em águia e começou a persegui-lo com a intenção de recuperar o hidromel roubado.

Eles voaram por Jotunheim em direção a Asgard. Vendo que Odin apenas com dificuldade poderia escapar, os deuses reuniram apressadamente todos os materiais combustíveis que puderam encontrar. Quando Odin voou sobre as muralhas de sua habitação, os deuses atearam fogo ao combustível, de modo que as chamas subiram aos céus e chamuscaram as asas de Suttung, que caiu no meio do fogo, onde foi queimado até a morte.

Odin voou para onde os deuses haviam preparado vasos para guardar o hidromel roubado e expeliu o gole com tanta pressa e sem fôlego que algumas gotas caíram e se espalharam pela Terra. Lá elas serviram de inspiração para rimadores e poetas medíocres. Os deuses reservaram a porção principal para seu próprio consumo, e apenas ocasionalmente serviam uma amostra a alguns mortais favorecidos, que, imediatamente depois, ganhariam reconhecimento mundial por suas canções inspiradas.

ÆGIR

Além de Niord e Mímir, que eram divindades oceânicas, o primeiro representando o mar perto da costa, e o outro, o oceano primordial, de onde todas as coisas deveriam ter surgido, as raças do Norte reconheciam outro regente do mar, chamado Ægir, que habitava nas profundezas frias de seu reino líquido ou morava na ilha de Lessoe.

Ægir (o mar), assim como seus irmãos Kari (o ar) e Loki (fogo), pertencia a uma dinastia mais antiga dos deuses, pois ele não era classificado com os Æsir, os Vanas, os gigantes, os anões ou elfos, mas era considerado onipotente em seu reino.

Ele causava e acalmava as grandes tempestades que varriam as profundezas e geralmente era representado como um velho magro, com barba e cabelos brancos compridos e dedos em garras sempre agarrados convulsivamente, como se desejasse ter todas as coisas ao alcance de suas mãos. Sempre que ele aparecia acima das ondas, era apenas para perseguir e derrubar navios e arrastá-los avidamente para o fundo do mar, uma vocação da qual se pensava que ele se deleitava diabolicamente.

A DEUSA RAN

Ægir foi casado com sua irmã, a deusa Ran, cujo nome significa "ladra" e que era tão cruel, gananciosa e insaciável quanto o marido. Seu passatempo favorito era espreitar perto de rochas perigosas, para onde atraía marinheiros, e ali espalhava sua rede, seu bem mais precioso. Depois de enredar os homens em suas malhas e quebrar os barcos deles nas falésias recortadas, Ran os arrastava com calma para seu reino triste.

Ran era considerada a deusa da morte para todos os que pereceram no mar, e as nações do Norte imaginavam que ela entretinha os afogados em suas cavernas de coral, onde seus sofás estavam espalhados para recebê-los e onde o hidromel fluía livremente, como em Valhalla. A deusa teria ainda uma grande afeição pelo ouro, que era chamado de "chama do mar" e era usado para iluminar seus salões. Essa crença se originou com os marinheiros e surgiu do impressionante brilho fosforescente das ondas. Para ganhar as boas graças de Ran, os nórdicos tinham o cuidado de esconder um pouco de ouro com eles sempre que algum perigo especial os ameaçava no mar.

Ægir, como vimos, governava o mar com a ajuda da traiçoeira Ran. Ambas as divindades eram consideradas cruéis pelas nações do Norte, as quais tinham muito a sofrer com o mar, que, cercando-os por todos os lados, corria para o coração de seus países através dos inúmeros fiordes e frequentemente engolia os navios de seus *vikings*, com todas as suas tripulações de guerreiros.

AS ONDAS

Ægir e Ran tiveram nove lindas filhas, as Ondas, ou donzelas onduladas, cujos braços e seios alvos, longos cabelos dourados, olhos azuis profundos e formas esbeltas e sensuais eram fascinantes ao extremo. Essas donzelas se deliciavam em brincar na superfície do vasto domínio de seu pai, trajando leves véus azuis, brancos ou verdes transparentes. Eram muito mal-humoradas e caprichosas. O humor delas variava do brincalhão ao emburrado e ao apático, e às vezes elas levavam uma à outra quase à loucura, arrancando seus cabelos e véus, lançando-se de forma imprudente em suas camas duras, nas pedras, perseguindo-se frenética e apressadamente e gritando alto com alegria ou desespero. No entanto, raramente saíam para brincar, a menos que seu irmão, o Vento, estivesse no exterior, e, de acordo com o humor dele, eram gentis e brincalhonas ou ásperas e barulhentas.

Geralmente, as Ondas deveriam andar em trios e costumavam brincar com os navios dos *vikings*, a quem favoreciam, suavizando todos os obstáculos do seu curso e ajudando-os a alcançar rapidamente seus objetivos.

Os dois principais servos do deus eram Elde e Funfeng, emblemas da fosforescência do mar. Eram notáveis por sua rapidez e sempre esperavam os convidados para seus banquetes nas profundezas do mar.

A PESCA DE THOR

Às vezes, Ægir deixava seu reino para visitar Æsir, em Asgard, onde sempre se divertia com a realeza e se deliciava com os muitos contos de Bragi sobre as aventuras e realizações dos deuses. Animado por essas narrativas e também pelo hidromel reluzente que as acompanhava, o deus certa vez se aventurou a convidar os Æsir para celebrar a festa da colheita com ele em Hlesey, onde prometeu entretê-los.

Surpreso com esse convite, um dos deuses se aventurou a lembrar Ægir de que estavam acostumados a pratos delicados. O deus do mar declarou que, no que dizia respeito à alimentação, eles não precisavam ficar ansiosos, pois tinha certeza de que poderia satisfazer os apetites mais exigentes. No entanto, ele confessou que não estava tão confiante em relação à bebida, pois sua chaleira era muito pequena. Ao ouvir isso, Thor imediatamente se ofereceu para adquirir uma chaleira adequada e partiu com Tyr para obtê-la. Os dois deuses viajaram para o leste de Elivagar na carruagem de Thor e, deixando-a na casa do camponês Egil, pai de Thialfi, seguiram a pé até a habitação do gigante Hymir, conhecido por possuir uma chaleira com mil metros de profundidade e com a mesma largura.

Apenas as mulheres estavam em casa, e Tyr reconheceu na anciã — uma bruxa velha e feia com novecentas cabeças

— sua própria avó, enquanto a mais nova, uma linda jovem gigante, era, ao que parecia, sua mãe, e ela recebeu o filho e seu companheiro com toda hospitalidade e deu a eles de beber.

Depois de saber da missão dos deuses, a mãe de Tyr ordenou que os visitantes se escondessem sob algumas enormes chaleiras que repousavam sobre uma viga no final do corredor, pois seu marido, Hymir, era muito precipitado e muitas vezes matava seus pretensos convidados com um único olhar funesto. Os deuses seguiram rapidamente o conselho dela e, assim que se esconderam, o velho gigante Hymir entrou. Quando a esposa lhe disse que tinham visitantes, ele franziu o cenho com tanta preocupação e lançou um olhar tão irado para o esconderijo que a viga se partiu, e as chaleiras caíram com um estrondo e, exceto a maior, foram todas despedaçadas.

A esposa do gigante, no entanto, persuadiu o marido a dar as boas-vindas a Tyr e Thor, e ele matou três bois para a refeição, mas ficou muito consternado ao ver o deus do trovão comer dois deles no jantar. Murmurando que ele teria de pescar cedo na manhã seguinte para garantir um café da manhã para um hóspede tão voraz, o gigante retirou-se para descansar e, quando amanheceu, no dia seguinte, ele desceu para a praia. Thor se juntou a ele, dizendo que tinha vindo para ajudá-lo. O gigante ordenou que ele arrumasse sua própria isca, então Thor matou friamente o maior boi de seu anfitrião e, cortando a cabeça, embarcou nele e começou a remar para longe no mar. Em vão, Hymir protestou que seu local de pesca habitual havia sido alcançado e que eles poderiam encontrar a terrível serpente de Midgard caso se aventurassem mais. Entretanto, Thor remava persistentemente, até imaginar que eles estavam bem em cima desse monstro.

Engolindo seu poderoso anzol com a cabeça de boi, Thor inclinou-se para Jormungand, enquanto o gigante puxava duas baleias, o que lhe parecia suficiente para uma refeição matinal.

Thor estava prestes a propor que retornassem quando, de repente, sentiu uma fisgada e começou a puxar o mais forte que pôde, pois sabia, pela resistência de sua presa e pela terrível tempestade criada por suas contorções frenéticas, que ele havia fisgado a serpente de Midgard. Determinado a forçar a serpente a subir à superfície, Thor apoiou os pés com tanta força contra o fundo do barco que o atravessou e ficou no leito do mar.

Depois de uma luta indescritível, a terrível cabeça com hálito de veneno do monstro apareceu, e Thor, segurando o martelo, estava prestes a aniquilá-lo quando o gigante, assustado com a proximidade de Jormungand e com medo de que o barco afundasse e ele se tornasse presa do monstro, cortou a linha de pesca e, assim, permitiu que a serpente voltasse como uma pedra para o fundo do mar.

Irritado com Hymir por sua interferência inoportuna, Thor lhe deu um golpe com o martelo que o derrubou para fora do barco. Contudo, Hymir, sem desanimar, caminhou até a praia e encontrou o deus quando ele retornava. Hymir, então, colocou as duas baleias nas costas, para levá-las para casa; e Thor, desejando também mostrar sua força, colocou nas costas o barco, os remos e o equipamento de pesca, e o seguiu.

Depois do café da manhã, Hymir desafiou Thor a provar sua força quebrando sua caneca; mas, embora o deus do trovão a jogasse com uma força terrível contra os pilares e as paredes de pedra, ela permaneceu inteira e sequer amassou. Em obediência a um sussurro da mãe de Tyr, no entanto, Thor repentinamente jogou o vaso contra a testa do gigante, a única substância mais resistente que a caneca, e então ela caiu no chão em pedaços. Hymir, tendo testado o poder de Thor, disse-lhe que poderia ter a chaleira que os dois deuses vieram procurar, mas Tyr tentou levantá-la em vão, e Thor só conseguiu tirá-la do chão depois de apertar seu cinto de força até o último buraco.

O puxão com o qual ele finalmente a levantou causou grandes danos à casa do gigante, e seus pés quebraram o chão. Quando Tyr e Thor estavam partindo, este último com o pote enorme colocado na cabeça como um chapéu, Hymir convocou seus irmãos gigantes do gelo e propôs que eles deveriam perseguir e matar seu inimigo inveterado. Virando-se, Thor de repente percebeu a perseguição e, atirando Mjolnir repetidamente contra os gigantes, ele matou todos eles antes que pudessem alcançá-lo. Tyr e Thor retomaram sua jornada de volta a Ægir, carregando a chaleira na qual ele iria preparar cerveja para o banquete da colheita.

Os deuses agora se vestiam de maneira festiva e seguiam alegremente para o banquete de Ægir e sempre depois costumavam celebrar a colheita em suas cavernas de coral.

BALDER

Dizem que de Odin e Frigga tiveram gêmeos com características e aparência física tão diferentes quanto era possível para dois filhos. Hodur, deus das trevas, era sombrio, taciturno e cego, como a obscuridade do pecado que ele deveria simbolizar, enquanto seu irmão Balder, o belo, era adorado como o deus puro e radiante da inocência e da luz. Sua testa nevada e suas mechas douradas pareciam irradiar raios de sol que alegravam os corações de deuses e homens, pelos quais ele era igualmente amado.

O jovem Balder alcançou seu pleno crescimento com uma rapidez incrível e foi admitido desde cedo no conselho dos deuses. Ele passou a morar no palácio de Breidablik, cujo teto prateado repousava sobre pilares dourados e cuja pureza era tal que nada ordinário ou impuro era permitido em seus arredores. Ali, ele vivia em perfeita união com sua jovem esposa Nanna (Flor), filha de Nip (Broto), uma deusa linda e encantadora.

O deus da luz era bem versado na ciência das runas, que foram gravadas em sua língua. A única coisa que se escondeu dos olhos radiantes de Balder foi a percepção de seu próprio destino final.

A MORTE DE BALDER

Como era natural para Balder, o belo, sorrir e ser feliz, os deuses ficaram muito perturbados quando, um dia, começaram a notar uma mudança em seu comportamento. Pouco a pouco, a luz desapareceu de seus olhos azuis, um olhar desgastado surgiu em seu rosto, e seu passo tornou-se pesado e lento. Odin e Frigga, vendo a evidente depressão do filho amado, imploraram para que ele revelasse a causa de sua tristeza silenciosa. Balder, finalmente cedendo às súplicas ansiosas, confessou que seu sono, em vez de ser pacífico e repousante como antigamente, era agora estranhamente perturbado por sonhos sombrios e opressivos, os quais, embora ele não pudesse lembrar claramente quando acordava, constantemente o assombravam com um vago sentimento de medo.

Odin e Frigga ficaram muito inquietos ao ouvir esse relato, mas declararam que nada prejudicaria o filho tão amado. No entanto, quando os pais ansiosos discutiram o assunto, confessaram que também eram oprimidos por pressentimentos estranhos e, chegando à conclusão de que a vida de Balder estava realmente ameaçada, começaram a tomar medidas para evitar o perigo.

Frigga enviou seus servos em todas as direções, com o rigoroso encargo de registrar um voto solene de todas as criaturas, plantas, metais e pedras, de não prejudicar Balder. Toda a criação fez seu juramento prontamente, pois não havia algo na Terra que não amasse o deus radiante. Assim, os criados voltaram para Frigga dizendo a ela que todos haviam jurado solenemente, exceto o visco, que crescia sob o tronco de carvalho no portão de Valhalla, e esse, eles acrescentaram, era uma coisinha tão insignificante e inofensiva que dele não deveriam temer nenhum dano. Frigga então voltou a fiar muito contente, pois sentiu-se segura de que nenhum dano poderia ocorrer ao filho que ela amava acima de tudo.

Enquanto isso, Odin decidiu consultar uma das valas ou profetisas mortas. Montado em seu cavalo de oito pés, Sleipnir, ele atravessou a ponte tremulante de Bifrost e a estrada cansativa que leva a Giallar e à entrada de Niflheim, onde, passando pelo portão e pelo cachorro Garm, penetrou na morada escura de Hela.

Odin viu, surpreso, que havia um banquete preparado naquele reino sombrio e que os sofás estavam cobertos com tapeçarias e anéis de ouro, como se esperassem por algum convidado muito honrado. Seguiu em frente apressado até chegar ao local em que a Vala descansava em paz há muitos anos e começou a entoar um feitiço e a desenhar as runas que tinham o poder de ressuscitar os mortos.

De repente, a tumba se abriu, e a profetisa se levantou lentamente, perguntando quem ousara atrapalhar seu longo descanso. Odin, não desejando que ela soubesse que era o poderoso pai dos deuses e dos homens, respondeu que era Vegtam, filho de Valtam, e que a acordara para perguntar por quem Hela estava estendendo seus sofás e preparando a refeição festiva. Em tons vazios, a profetisa confirmou todos os seus medos, dizendo-lhe que o convidado esperado era Balder, que estava destinado a ser morto por Hodur, seu irmão, o deus cego das trevas.

Apesar da evidente relutância da Vala em falar, Odin ainda não estava satisfeito e insistiu para que ela dissesse quem iria vingar o deus assassinado e prestar contas com o assassino, pois a vingança era considerada um dever sagrado pelas raças do norte. Então a profetisa disse a ele que Rinda, a deusa da terra, teria um filho com Odin, e que Vali, como essa criança seria chamada, não lavaria o rosto nem pentearia os cabelos até que tivesse vingado a morte de Balder.

Quando a profetisa disse isso, Odin perguntou: "Quem se recusaria a chorar pela morte de Balder?" Essa pergunta incauta mostrava um conhecimento do futuro que nenhum mortal poderia ter e revelou imediatamente à Vala a identidade do visitante. Dessa maneira, recusando-se a dizer qualquer outra palavra, ela afundou de volta no silêncio da tumba, declarando que ninguém seria capaz de despertá-la novamente até o fim do mundo.

Odin, tendo conhecido os decretos de Orlog (Destino), que ele sabia que não poderiam ser deixados de lado, montou novamente em seu corcel e, triste, retornou a Asgard, pensando no momento, não muito distante, em que seu amado filho não iria mais ser visto nas moradas celestiais e quando a luz de sua presença teria desaparecido para sempre.

Ao entrar em Gladsheim, no entanto, Odin ficou um pouco mais tranquilo quando Frigga lhe contou que todas as coisas sob o sol haviam prometido não prejudicar Balder. Convencido de que, se nada ou ninguém matasse seu amado filho, ele iria continuar a alegrar deuses e homens com sua presença, deixou de lado os cuidados e se resignou aos prazeres do cenário festivo.

Quando os deuses souberam que Balder não poderia ser prejudicado por nenhuma arma, começaram a se divertir lançando em sua direção todo tipo de armas e pedras, certos de que, não importava o quanto eles tentassem e com que precisão apontassem, os objetos que juraram não feri-lo desviariam ou cairiam antes de atingi-lo. Essa nova diversão parecia ser tão fascinante que logo todos os deuses se reuniram ao redor de Balder, festejando, com gritos prolongados e risadas, cada novo fracasso em machucá-lo.

Essas explosões de alegria despertaram a curiosidade de Frigga, que estava sentada fiando; e, vendo uma velha passar por sua casa, perguntou o que os deuses estavam fazendo para provocar tanta alegria. A velha não era outra senão Loki disfarçado, e ele respondeu a Frigga que os deuses estavam atirando pedras e outras armas afiadas em Balder, que, sorrindo e ileso no meio deles, desafiava-os a acertá-lo.

A deusa sorriu e retomou seu trabalho, dizendo que era natural que nada prejudicasse Balder, pois todas as coisas amavam a luz, da qual ele era o emblema, e juraram solenemente não o ferir. Loki, a personificação do fogo, ficou muito desgostoso ao ouvir isso, pois tinha ciúmes de Balder, o sol, que o eclipsava inteiramente e que era sempre amado, enquanto ele era temido e evitado ao máximo. No entanto, ele escondeu sua irritação e perguntou a Frigga se ela tinha certeza de que todos os objetos haviam feito o juramento.

Frigga respondeu com orgulho que havia recebido o juramento solene de todas as coisas, com exceção de um pequeno parasita inofensivo, o visco, que crescia no carvalho perto do portão de Valhalla e que era pequeno e fraco demais para ser temido. Essa informação era tudo o que Loki queria e, dando adeus a Frigga, ele foi embora mancando. Assim que saiu de vista, no entanto, ele retomou sua forma habitual e correu para Valhalla, em cujo portão encontrou o carvalho e o visco, conforme indicado por Frigga. Então, pelo exercício das artes mágicas, ele conferiu ao parasita um tamanho e uma dureza nada natural.

Com o caule de madeira, ele habilmente criou uma flecha com a qual se apressou a voltar para Idavold, onde os deuses ainda atiravam coisas em Balder, e só Hodur estava encostado triste em uma árvore e não participava do jogo. Loki se aproximou do deus cego e, fingindo interesse, perguntou a causa de sua melancolia, ao mesmo tempo insinuando engenhosamente que o orgulho e a indiferença o impediam de participar do esporte. Em resposta a essas observações, Hodur alegou que apenas a cegueira o impedia de participar do novo jogo. Então Loki colocou a flecha de visco nas mãos dele e o levou ao meio do círculo, indicando a direção do nobre alvo, e Hodur atirou sua flecha. Mas, para sua consternação, em vez do riso alto que ele esperava, um grito de horror estremeceu em seus ouvidos, pois Balder, o belo, caíra ao chão, perfurado pelo visco fatal.

Em extrema ansiedade, os deuses se amontoaram em torno de seu amado companheiro, mas a vida estava completamente extinta, e todos os esforços para reviver o deus do sol foram inúteis. Inconsoláveis com a perda, eles se voltaram furiosamente para Hodur, a quem teriam matado ali mesmo se não tivessem sido impedidos pela lei dos deuses de que nenhum ato intencional de violência deveria profanar seu caminho de paz. O som daquele lamento trouxe as deusas, apressadas, para a cena terrível, e, quando Frigga viu que seu filho querido estava morto, implorou apaixonadamente aos deuses que fossem a Niflheim e pedissem a Hela para libertar sua vítima, pois a Terra não poderia existir feliz sem ele.

Como a estrada era árdua e dolorosa ao extremo, nenhum dos deuses se ofereceu a princípio. Entretanto, quando Frigga prometeu que ela e Odin recompensariam o mensageiro, amando-o acima de todos os deuses, Hermod mostrou sua disposição para executar a missão. Para que Hermod pudesse cumprir sua missão, Odin emprestou-lhe Sleipnir, e o nobre cavalo, que não costumava deixar ninguém além de Odin montar em suas costas, partiu sem hesitar pela estrada escura. Por fim, Hermod chegou à sala de banquetes de Hela, onde encontrou Balder, pálido e desanimado, deitado em um sofá, e sua esposa Nanna ao lado dele.

Hermod procurou Hela e implorou para que ela libertasse Balder. A deusa grosseira ouviu em silêncio o pedido e declarou que deixaria sua vítima partir desde que todas as coisas animadas e inanimadas mostrassem sua tristeza pela perda derramando lágrimas.

Essa resposta era cheia de encorajamento, pois toda a Natureza lamentava a perda de Balder, e certamente não havia algo em toda a criação que pudesse negar o tributo de uma lágrima. Então Hermod saiu contente do reino sombrio de Hela, carregando consigo o anel Draupnir, o qual Balder enviou de volta para Odin, um tapete bordado de Nanna para Frigga e um anel para Fulla.

Os deuses reunidos se aglomeraram cheios de ansiedade em volta de Hermod assim que ele retornou e, quando ele entregou as mensagens e os presentes, os deuses enviaram arautos a todas as partes do mundo para fazer todas as coisas animadas e inanimadas chorar por Balder.

No caminho de volta para Asgard, havia uma caverna escura, na qual os mensageiros viram a figura de uma gigante chamada Thok, que era Loki disfarçado. Quando foi chamada a derramar uma lágrima, zombou dos arautos e, fugindo para os recantos escuros de sua caverna, declarou que nenhuma lágrima deveria cair de seus olhos e que, por ela, Hela poderia reter sua vítima para sempre.

Quando os mensageiros retornaram a Asgard, os rostos ansiosos dos deuses se transformaram em desespero quando ouviram que uma criatura havia recusado suas lágrimas e por isso não viriam mais Balder em Asgard.

Depois de muitas rejeições, Odin conseguiu garantir o consentimento de Rinda à união deles, e já sabemos que o filho nascido desse casamento estava destinado a vingar a morte de Balder. A chegada desse bebê aconteceu, e Vali, o Vingador, como era chamado, entrou em Asgard no dia de seu nascimento, e naquele mesmo dia matou Hodur com uma flecha de um cesto que parecia ter trazido para isso. Assim, Hodur, apesar de ter sido um instrumento inconsciente para o assassinato de Balder, expiou o crime com seu sangue.

BRAGI

Na mitologia nórdica, Bragi é o deus da sabedoria, da música e da poesia. Filho do Deus Odin e da gigante Gunnlod, é um dos poucos deuses nórdicos que não gostam de guerrear. Bragi é conhecido por sua sabedoria, é muito criativo com as palavras e tem muito conhecimento de poemas e canções. Gosta de tocar sua harpa enquanto declara poesias para a esposa Idun, deusa do elixir da eternidade. Era descrito como um velho com barbas brancas, apesar de ser casado com a guardiã das maçãs da juventude.

Sua função era receber os guerreiros mortos recém-chegados aos salões de Valhalla com poemas nos quais enaltecia os atos de heroísmo deles.

Ele tem runas talhadas na língua, o que lhe permite inspirar os humanos na poesia. Bragi era o padroeiro dos poetas (*skalds*), dos menestréis, dos músicos e dos artistas. Antigamente, nos funerais dos reis e dos chefes guerreiros, eram feitos brindes e juramentos solenes sobre uma taça de bebida. A taça era chamada de "Bragarfull", ou "A taça de Bragi", enquanto "Bragarmal" significava o dom poético dado por Bragi a seus escolhidos.

Durante um banquete com os deuses, Bragi foi acusado por Loki de ser um deus efeminado, mas sua esposa Idun o defendeu e, por isso, foi acusada por Loki de cometer adultério.

O DEUS DA MÚSICA

Embora Odin tivesse conquistado o dom da poesia, ele raramente o utilizava. Estava reservado para seu filho Bragi, filho de Gunnlod, tornar-se o deus da poesia e da música e encantar o mundo com suas canções.

Assim que Bragi nasceu, na caverna cheia de estalactites onde Odin ganhou os afetos de Gunnlod, os anões lhe deram uma harpa mágica de ouro e, colocando-o em um de seus próprios navios, enviaram-no para o mundo inteiro. Quando o barco passou gentilmente pela escuridão subterrânea e flutuou sobre os limites de Naim, o reino do anão da morte, Bragi, o belo e imaculado deus jovem que até então não mostrava sinais de vida, sentou-se de repente e, com a harpa dourada ao seu lado, começou a cantar o maravilhoso canto da vida, que subia às vezes até o céu e depois mergulhava no terrível reino de Hela, deusa da morte.

Enquanto ele tocava, o navio flutuava suavemente sobre as águas ensolaradas e logo chegou à costa. Bragi prosseguiu a pé, abrindo caminho pela floresta nua e silenciosa, tocando enquanto caminhava. Ao som de sua música tenra, as árvores começaram a brotar e a florescer, e a grama sob seus pés ficou repleta de flores.

Ali ele conheceu Idun, filha de Ivald, a bela deusa da juventude imortal, a quem os anões permitiam visitar a Terra de tempos em tempos. Quando ela se aproximava, a natureza invariavelmente assumia seu aspecto mais adorável e gentil.

Era de se esperar que esses dois seres se sentissem atraídos um pelo outro, e Bragi logo conquistou essa deusa justa para ser sua esposa. Juntos, eles foram para Asgard, onde foram calorosamente recebidos, e onde Odin, depois de entalhar runas na língua de Bragi, decretou que ele deveria ser o menestrel celestial e compositor de canções em homenagem aos deuses e aos heróis recebidos em Valhalla.

FORSETI

Filho de Balder, o deus da luz, e de Nanna, deusa da imaculada pureza, Forseti era o mais sábio, mais eloquente e mais gentil de todos os deuses. Quando sua presença em Asgard se tornou conhecida, os deuses lhe concederam um assento no salão do conselho, decretaram que ele fosse patrono da justiça e da retidão e deram a ele como morada o radiante palácio Glitnir. O palácio tinha um telhado prateado apoiado em pilares de ouro e brilhava tão intensamente que podia ser visto a uma grande distância.

Era em seu trono nesse palácio que Forseti, o legislador, sentava-se dia após dia, resolvendo as diferenças de deuses e homens, ouvindo pacientemente os dois lados de todas as questões e, finalmente, pronunciando sentenças tão equitativas que ninguém jamais encontrou falhas em seus decretos. Tais eram a eloquência e o poder de persuasão desse deus que ele sempre conseguia tocar o coração de seus ouvintes e nunca deixava de conciliar os inimigos mais amargos. Todos, a partir de então, viviam em paz. Ninguém ousava quebrar um voto feito a ele, para não despertar sua ira, pois, neste caso, seriam imediatamente feridos até a morte.

Como deus da justiça e da lei eterna, Forseti presidia todas as assembleias judiciais; todos que estavam prestes a passar por um julgamento apelavam para ele, e dizia-se que ele raramente falhava em ajudar os merecedores.

A HISTÓRIA DE HELIGOLAND

A fim de facilitar a aplicação da justiça em toda a sua terra, os frísios contrataram doze de seus homens mais sábios, os Asegeir, ou anciãos, para coletar as leis das várias famílias e tribos que compunham sua nação e compilar um código que deveria ser a base das leis comuns. Os anciãos, tendo terminado meticulosamente sua tarefa de coletar essas informações, embarcaram em um pequeno navio em busca de um local isolado onde pudessem conduzir suas deliberações em paz. Contudo, assim que se afastaram da costa, surgiu uma tempestade que levou o navio para o mar aberto e o lançou em várias direções diferentes, até que eles perderam completamente o rumo. Angustiados, os doze juristas chamaram por Forseti, implorando que ele os ajudasse a chegar à terra firme mais uma vez. Eles mal haviam terminado a oração quando perceberam, para sua total surpresa, que o navio continha um décimo terceiro passageiro.

Agarrando o leme, o recém-chegado manobrou a embarcação em silêncio e a levou para o lugar onde as ondas eram mais altas. Em pouco tempo, chegaram a uma ilha, onde o timoneiro fez sinal para que desembarcassem. Espantados, os doze homens obedeceram, e a surpresa deles foi ainda maior quando viram o estranho atirar seu machado de guerra e fazer jorrar um riacho límpido no local onde ele caiu. Imitando o estranho, todos beberam desta água sem dizer nenhuma palavra. Então eles se sentaram em círculo.

De repente, o silêncio foi quebrado, e o estrangeiro começou a falar em voz baixa, que foi ficando mais firme e mais alta enquanto ele expunha um código de leis que combinava todos os pontos positivos dos vários regulamentos existentes que os Asegeir haviam coletado. Terminado o discurso, o orador desapareceu tão repentina e misteriosamente quanto havia aparecido, e os doze juristas, recuperando o poder da fala, exclamaram simultaneamente que o próprio Forseti estivera entre eles e havia enunciado o código de leis pelo qual os frísios deveriam a partir de agora ser julgados.

Em comemoração à aparição do deus, declararam santa a ilha em que estavam e pronunciaram uma maldição solene sobre qualquer um que ousasse profanar sua santidade por meio de brigas ou derramamento de sangue. Consequentemente, esta ilha, conhecida como terra de Forseti ou Heligoland, era muito respeitada por todas as nações do Norte, e até os *vikings* mais ousados se abstiveram de invadi-la para não sofrerem naufrágio ou terem uma morte vergonhosa como punição por seu crime.

As assembleias judiciais solenes eram frequentemente realizadas nesta ilha sagrada, e os juristas sempre bebiam água da fonte em silêncio, em memória da visita de Forseti.

Forseti raramente é mencionado, exceto em conexão com Balder. Aparentemente, ele não participou da batalha final, em que todos os outros deuses tiveram um papel tão importante.

FREY

O DEUS DO PAÍS DAS FADAS

Frey, ou Fro, era filho de Niord e Skadi e nasceu em Vanaheim. Ele, portanto, pertencia à raça dos Vanir, as divindades da água e do ar, mas foi calorosamente recebido em Asgard quando lá chegou como convidado de seu pai. Como era costume entre as nações do norte dar um presente valioso à criança quando nascia seu primeiro dente, os deuses deram a Frey o belo reino de Alfheim ou país das fadas, o lar dos Elfos da Luz.

Ali Frey, o deus do sol dourado e das chuvas quentes de verão, fez sua morada, encantado com a sociedade dos elfos e das fadas, que obedeciam a todas as suas ordens e, a um sinal dele, voavam de um lado para o outro, fazendo todo o bem que conseguiam, pois eram espíritos muito benéficos.

Frey também recebeu dos deuses uma maravilhosa espada, que tinha o poder de lutar com sucesso e por vontade própria assim que era retirada de sua bainha. Frey a empunhava principalmente contra os gigantes do gelo, a quem odiava quase tanto quanto Thor, e, como carregava essa arma brilhante, às vezes era confundido com o deus da espada Tyr.

Os anões de Svart-alfaheim deram a Frey o javali de cerdas douradas Gullin-bursti, uma personificação do sol. Frey às vezes andava montado nesse maravilhoso javali, cuja velocidade era muito grande, e outras vezes o prendia à sua carruagem de ouro, que se dizia conter os frutos e as flores que ele espalhava generosamente sobre a face da Terra.

Além disso, Frey era o orgulhoso possuidor não apenas do corajoso corcel Blodughofi, que atravessaria fogo e água sob seu comando, mas também do navio mágico Skidbladnir, uma personificação das nuvens. Essa embarcação, navegando por terra e mar, sempre era levada por ventos favoráveis e era tão elástica que, embora pudesse assumir proporções suficientemente grandes para transportar todos os deuses, seus corcéis e seus equipamentos, também podia ser dobrada como um guardanapo e guardada em uma bolsa.

O CORTEJO DE GERDA

Conta-se que Frey uma vez se aventurou a subir no trono de Odin, Hlidskialf, de onde seu olhar pairava sobre a Terra. Olhando para o norte gelado, ele viu uma jovem e bela donzela entrar na casa do gigante de gelo Gymir e, quando ela levantou a mão para erguer a trava, sua beleza radiante iluminou o mar e o céu.

Um momento depois, essa adorável criatura, cujo nome era Gerda, considerada uma personificação das luzes do norte, desapareceu dentro da casa de seu pai. Frey retornou a Alfheim com o coração oprimido pelo desejo de fazer daquela donzela sua esposa. Profundamente apaixonado, ele se tornou melancólico e distraído ao extremo e começou a se comportar de maneira tão estranha que seu pai, Niord, ficou muito alarmado com sua saúde e pediu a seu servo favorito, Skirnir, que descobrisse a causa dessa mudança repentina. Depois de Skirnir usar de muita persuasão, Frey lhe contou de sua ascensão a Hlidskialf e da visão que teve. Ele confessou seu amor e também seu desespero absoluto, pois, como Gerda era filha de Gymir e Angrboda e parente do gigante assassinado Thiassi, ele temia que ela nunca visse seu pedido com bons olhos.

Skirnir, no entanto, respondeu consoladoramente que não via nenhuma razão para que seu mestre ficasse tão desanimado e se ofereceu para cortejar a donzela em seu nome, desde que Frey emprestasse seu corcel para a jornada e desse a ele sua espada brilhante como recompensa.

Muito feliz com a perspectiva de ganhar a bela Gerda, Frey, de bom grado, entregou a Skirnir a espada cintilante e lhe deu permissão para usar o cavalo. No entanto, ele rapidamente recaiu no estado de devaneio que se tornou habitual desde que se apaixonara e, por isso, não percebeu que Skirnir ainda permanecia perto dele e roubava astuciosamente o reflexo do rosto do mestre da superfície do riacho perto do qual este estava sentado e o aprisionava em seu chifre de beber. A intenção do servo era de "derramar no copo de Gerda e por sua beleza conquistar para o senhor o coração da gigante" que ele estava prestes a ir cortejar. Munido desse retrato, com onze maçãs douradas e com o anel mágico Draupnir, Skirnir partiu para Jotunheim para cumprir sua missão. Ao se aproximar da casa de Gymir, ouviu o uivo alto e persistente dos cães de guarda, que eram personificações dos ventos de inverno. Um pastor, que guardava seu rebanho nas proximidades, disse-lhe, em resposta à sua pergunta, que seria impossível aproximar-se da casa, por causa da barreira de fogo que a cercava. Skirnir, porém, sabendo que Blodughofi atravessaria qualquer fogo, apenas deu com as esporas no cavalo e, cavalgando ileso até a porta do gigante, foi conduzido à presença da adorável Gerda.

Para induzir a bela donzela a ser favorável às propostas de seu mestre, Skirnir mostrou a ela o retrato roubado e ofereceu as maçãs douradas e o anel mágico. Ela, no entanto, recusou-se a aceitar, declarando que seu pai tinha ouro suficiente.

Indignado com o desprezo de Gerda, Skirnir ameaçou decapitá-la com sua espada mágica, mas, como isso não a assustou nem um pouco, ele recorreu às artes mágicas. Talhando runas em seu cajado, Skirnir disse à donzela que, a menos que ela cedesse antes que o feitiço terminasse, seria condenada ao celibato eterno ou a se casar com algum gigante do gelo velho que ela nunca poderia amar.

Aterrorizada com a descrição assustadora de seu futuro triste caso persistisse na recusa, Gerda finalmente consentiu em se tornar esposa de Frey e dispensou Skirnir, prometendo encontrar seu futuro esposo na nona noite, na terra de Buri, onde dissiparia a tristeza dele e o faria feliz.

Encantado com seu sucesso, Skirnir correu de volta para Alfheim, onde Frey veio ansiosamente saber o resultado da jornada. Quando recebeu a notícia de que Gerda havia consentido em se tornar sua esposa, seu rosto ficou radiante de alegria. Entretanto, quando Skirnir lhe informou que ele teria de esperar nove noites antes de poder ver sua noiva prometida, ele se virou tristemente, declarando que o tempo pareceria interminável.

Apesar desse desânimo amoroso, no entanto, o tempo de espera chegou ao fim, e Frey correu alegremente para o bosque, onde encontrou Gerda, que, fiel ao seu compromisso, tornou-se sua feliz esposa e sentou-se orgulhosa no trono ao lado dele.

FREYA

A DEUSA DO AMOR

Freya, a bela deusa do norte da beleza e do amor, era irmã de Frey e filha de Niord e Nerthus, ou Skadi. Ela era a mais bela e mais amada de todas as deusas. Freya, nascida em Vanaheim, também era conhecido como Vanadis, a deusa dos Vanir ou Vanabride.

Quando Freya chegou a Asgard, os deuses ficaram tão encantados com a beleza e graça dela que lhe concederam o reino de Folkvang e o grande salão Sessrymnir (Quarto Espaçoso), onde garantiram que ela poderia acomodar facilmente todos os seus convidados.

RAINHA DAS VALKÍRIAS

Embora deusa do amor, Freya não era apenas gentil e amante do prazer. As antigas raças do norte acreditavam que ela tinha gostos muito marciais e que, como Valfreya, ela frequentemente conduzia as valquírias até os campos de batalha para escolher e reivindicar metade dos heróis mortos. Ela era, portanto, muitas vezes representada com corselete e capacete, escudo e lança e somente a parte inferior do corpo vestindo o traje feminino esvoaçante de sempre.

Freya transportava os mortos escolhidos para Folkvang, onde eles eram devidamente entretidos. Lá também ela acolhia todas as donzelas puras e esposas fiéis, para que desfrutassem da companhia de seus amados e maridos após a morte. As alegrias de sua morada eram tão atraentes para as heroicas mulheres do norte que estas costumavam entrar em batalha quando seus entes queridos eram mortos, na esperança de encontrar o mesmo destino, ou se lançavam sobre suas espadas ou eram queimadas voluntariamente na mesma pira funerária que os restos de seus amados.

Como se acreditava que Freya tinha ouvidos favoráveis às orações dos amantes, ela era frequentemente invocada por eles, e era costume compor em sua homenagem canções de amor, cantadas em todas as ocasiões festivas.

FREYA E ODUR

Freya, a deusa de cabelos dourados e olhos azuis, às vezes também era considerada uma personificação da terra. Como tal, casou-se com Odur, um símbolo do sol de verão, a quem amava muito e com quem tinha duas filhas, Hnoss e Gersemi. Essas donzelas eram tão bonitas que todas as coisas amáveis e preciosas eram chamadas por seus nomes.

Enquanto Odur permanecia contente ao seu lado, Freya estava sempre sorrindo e inteiramente feliz. Contudo, o deus era um andarilho no coração e, cansado da companhia da esposa, saiu de casa de repente e começou a vagar pelo mundo inteiro. Freya, triste e abandonada, chorou muito, e suas lágrimas caíram sobre as rochas duras, que amoleceram com o contato delas. Dizem até que as lágrimas escorreram até o centro das pedras, onde foram transformadas em ouro. Algumas caíram no mar e foram transformadas em âmbar translúcido.

Cansada de sua condição de viúva e desejando ter o amado em seus braços mais uma vez, Freya finalmente partiu para procurá-lo, passando por muitas terras e perguntando a todos que encontrava se o marido havia passado por ali. Derramou em toda parte tantas lágrimas que o ouro pode ser encontrado em todas as partes da Terra.

Longe, no sul ensolarado, sob as murtas floridas, Freya finalmente encontrou Odur e, tendo seu amor nos braços outra vez, era novamente feliz e sorria.

De mãos dadas, Odur e Freya voltaram para casa e, diante de tanta felicidade, a grama ficou verde, as flores desabrocharam, e os pássaros cantaram, pois toda a Natureza compartilhava do entusiasmo e da alegria de Freya da mesma forma como lamentara quando ela estava triste.

As plantas e as flores mais bonitas do Norte eram chamadas de cabelo de Freya ou orvalho dos olhos de Freya. Essa deusa também tinha um carinho especial pelas fadas, a quem ela adorava assistir dançando nos raios da lua e para quem ela reservava suas flores mais delicadas e o mel mais doce. Odur, o marido de Freya, além de ser considerado uma personificação do sol, era considerado um emblema da paixão ou dos prazeres inebriantes do amor; então, os antigos declararam que não era de se admirar que sua esposa não pudesse ser feliz sem ele.

FRIGGA

Frigga, ou Frigg, é filha da gigante Fiorgyn e esposa de Odin. O casamento deles causou tal júbilo geral em Asgard, onde a deusa era muito amada, que se tornou costume celebrar o aniversário de casamento com um banquete e música. Tendo a deusa sido declarada padroeira do casamento, sempre brindavam à sua saúde e à de Odin e Thor em festas de casamento.

Frigga era a deusa da atmosfera, ou melhor, das nuvens, e, como tal, era representada vestindo roupas brancas ou escuras, de acordo com seu humor um tanto variável. Ela era rainha dos deuses, e só ela tinha o privilégio de se sentar no trono Hlidskialf, ao lado de seu respeitável marido. Dali ela também podia ver o mundo inteiro e ver o que estava acontecendo e, de acordo com a crença, tinha o conhecimento do futuro, o qual, no entanto, jamais revelava a alguém, provando assim que as mulheres do Norte poderiam guardar segredos.

Geralmente, Frigga era representada como uma mulher alta, bonita e imponente, coroada com plumas de garça, o símbolo do silêncio ou do esquecimento, e vestida com vestes brancas, presas na cintura por um cinto de ouro do qual pendia um molho de chaves. Embora muitas vezes aparecesse ao lado do marido, Frigga preferia permanecer em seu próprio palácio, chamado Fensalir, o salão das brumas ou do mar, onde trabalhava em sua roca tecendo fios de ouro ou longas teias de nuvens de cores vivas.

Para realizar esse trabalho, ela utilizava uma roca maravilhosa cravejada de joias que, à noite, brilhava intensamente no céu como uma constelação, conhecida no Norte como a "Roca de Frigga" e que os habitantes do sul chamam de Cinturão de Órion.

No seu salão, Fensalir, a graciosa deusa convidava maridos e esposas que haviam levado uma vida virtuosa na Terra para que pudessem desfrutar da companhia um do outro, mesmo após a morte, e nunca mais precisarem se separar.

Frigga era, portanto, considerada a deusa do amor conjugal e maternal e era especialmente adorada por amantes casados e pais carinhosos. No entanto, esse ofício glorioso não absorvia inteiramente seus pensamentos, pois diz-se que ela gostava muito de se vestir e, sempre que aparecia diante dos deuses reunidos, seu traje era rico e elegante, e suas joias, escolhidas com muito bom gosto.

O OURO ROUBADO

O amor de Frigga por adornos uma vez a levou a um triste desvio de comportamento, pois, em seu desejo de possuir algum novo ornamento, ela roubou secretamente uma peça de ouro de uma estátua que representava seu marido e que acabara de ser colocada em seu templo. O metal roubado foi confiado aos anões, com instruções para criar um colar maravilhoso para ela usar. Depois de pronto, ele era tão resplandecente que aumentava ainda mais seus encantos e até aumentou o amor de Odin por ela. No entanto, quando ele descobriu o roubo do ouro, convocou os anões com raiva e pediu que revelassem quem ousara tocar em sua estátua. Não querendo trair a rainha dos deuses, os anões permaneceram em silêncio e, vendo que nenhuma informação poderia ser extraída deles, Odin ordenou que a estátua fosse colocada acima do portão do templo e começou a trabalhar para criar runas que dessem à estátua o poder da fala para denunciar o ladrão. Quando Frigga ouviu essas notícias, tremeu de medo e implorou à sua ajudante favorita, Fulla, que inventasse algum meio de protegê-la da ira de Odin. Fulla, que estava sempre pronta para servir sua senhora, partiu imediatamente e logo voltou, acompanhada por um anão hediondo, que prometeu impedir a estátua de falar se Frigga sorrisse graciosamente para ele. Tendo sido concedido esse benefício, o anão correu para o templo, fez os guardas cair em um sono profundo e, enquanto eles estavam inconscientes, puxou a estátua do pedestal e a partiu em pedaços para que nunca pudesse denunciar o roubo de Frigga, apesar de todos os esforços de Odin para lhe dar o poder da fala.

Odin, descobrindo no dia seguinte esse sacrilégio, ficou muito zangado, tão zangado que deixou Asgard e desapareceu completamente, levando consigo todas as bênçãos que costumava derramar sobre deuses e homens. Seus irmãos aproveitaram sua ausência para assumir sua forma e garantir a posse de seu trono e de sua esposa. Entretanto, embora se parecessem com ele, não puderam restaurar as bênçãos perdidas e permitiram que os gigantes do gelo, ou Jotuns, invadissem a Terra e a prendessem rapidamente em seus grilhões frios. Esses gigantes perversos arrancaram as folhas e os brotos das árvores até que todos murchassem, cobriram a Terra com uma grande colcha branca e alastraram sobre ela brumas impenetráveis.

Contudo, ao final de sete meses cansativos, o verdadeiro Odin cedeu e voltou. Quando ele viu todo o mal que havia sido feito, expulsou os usurpadores, forçou os gigantes do gelo a libertar a Terra de seu domínio gelado e novamente derramou todas as suas bênçãos sobre ela, presenteando-a com a luz do seu sorriso.

A deusa Frigga cercada por três outras deusas. Fulla segura o eski de Frigga no canto inferior esquerdo. Ilustração (1882) de *Emil Doepler*.

AS AJUDANTES DE FRIGGA

FULLA

Frigga tinha como suas acompanhantes especiais várias lindas donzelas, entre as quais Fulla, sua irmã, a quem confiava sua caixinha de joias. Fulla a acompanhava a todos os lugares, era sua confidente e frequentemente a aconselhava sobre a melhor forma de auxiliar os mortais que imploravam por sua ajuda. Fulla era realmente muito bonita e tinha longos cabelos dourados, que usava soltos sobre os ombros, presos apenas por uma tiara de ouro ou um laço.

HLIN

A segunda acompanhante de Frigga era Hlin, a deusa do consolo, enviada para secar as lágrimas dos enlutados e despejar bálsamo nos corações tomados pela dor. Ela também tinha os ouvidos sempre abertos para escutar as orações dos mortais e levá-las à sua senhora e, às vezes, aconselhar a melhor forma de responder a elas e dar o alívio a quem o desejava.

GNA

Gna era a veloz mensageira de Frigga. Montada em seu corcel Hofvarpnir, ela viajava com uma rapidez maravilhosa através do fogo e do ar, por terras e mares, e era, portanto, considerada a personificação da brisa refrescante. Como viajava rapidamente por todos os lugares, Gna via tudo o que estava acontecendo na terra e contava à sua senhora tudo o que sabia. Em uma ocasião, quando passava por Hunaland, viu o rei Rerir, um descendente de Odin, sentado tristemente à beira da praia, lamentando sua falta de filhos. A rainha do paraíso, que também era deusa do parto, ao ouvir isso, pegou uma maçã (o emblema da fecundidade) de seu suprimento particular, deu a Gna e pediu que ela a levasse ao rei. Com a rapidez do elemento que ela personificava, Gna partiu e, ao passar por cima da cabeça de Rerir, deixou a maçã no colo dele com um sorriso radiante.

O rei refletiu por um momento sobre o significado dessa repentina aparição e do presente e depois correu para casa, com o coração batendo forte e cheio de esperança, e deu a maçã à esposa para ela comer. No devido tempo, para sua imensa alegria, ela deu a ele um filho, Volsung, o grande herói do Norte, que ficou tão famoso que deu seu nome a toda a sua raça.

LOFN, VJOFN E SYN

Além das três acompanhantes já mencionadas, Frigga tinha outras atendentes. Havia a graciosa donzela Lofn, cujo dever era remover todos os obstáculos do caminho dos amantes.

O dever de Vjofn era inclinar os corações obstinados ao amor, para manter a paz e a harmonia entre a humanidade e reconciliar maridos e esposas que brigavam.

Syn guardava a porta do palácio de Frigga, recusando-se a abri-la para aqueles que não tinham permissão para entrar. Quando ela fechava a porta a um possível intruso, nada mudava sua decisão. Ela, portanto, presidia todos os tribunais e julgamentos, e, sempre que algo devia ser vetado, a fórmula usual era declarar que Syn era contra.

GEFJON

Gefjon também era uma das donzelas do palácio de Frigga, e a ela eram confiadas todas as pessoas que morriam sem se casar, a quem ela recebia e tornava feliz para sempre.

Gefjon não permaneceu virgem, mas casou-se com um dos gigantes, com quem teve quatro filhos. Um dia, Odin mandou que ela fosse visitar Gylfi, rei da Suécia, e pedisse a ele um pedaço de terra para ela. O rei, divertido com o pedido dela, prometeu que lhe daria toda a terra que ela pudesse arar em um dia e uma noite. Sem se intimidar, Gefjon transformou os quatro filhos em bois, amarrou-os a um arado e arou uma área tão grande que o rei e seus cortesãos ficaram admirados. Depois de lavrar um grande pedaço de terra, arrancou-o à força e fez seus bois arrastá-lo para o mar, onde o firmou, e chamou a essa terra Seeland.

Quanto ao oco que ela deixou para trás, foi rapidamente preenchido com água e formou um lago, inicialmente chamado Logrum, mas agora conhecido como Mälar, cujo recuo corresponde à península de Seeland. Gefjon se casou com Skiold, um dos filhos de Odin, e se tornou a ancestral da raça real dinamarquesa dos Skioldungs, morando na cidade de Hleidra ou Lethra, que ela fundou e que se tornou o principal local de sacrifício para os dinamarqueses pagãos.

EIRA, VARA, VÖR E SNOTRA

Eira, também assistente de Frigga, era considerada uma médica muito habilidosa. Ela reunia pessoas simples em todo o mundo para curar suas feridas e doenças, e sua ocupação era ensinar ciência às mulheres, que eram as únicas a praticar medicina nas nações antigas do Norte.

Vara ouvia todos os juramentos e punia os prevaricadores, enquanto recompensava aqueles que eram fiéis à sua palavra. Havia também Vör, que sabia tudo o que aconteceria em todo o mundo, e Snotra, deusa da virtude, que dominava todo o conhecimento.

Com essa constelação de ajudantes, não é de admirar que Frigga fosse considerada uma divindade poderosa; mas, apesar do lugar de destaque que ela ocupava na religião do Norte, ela não tinha templo nem santuário especial e era pouco adorada, exceto em companhia de Odin.

HEIMDALL

Certa vez, durante uma caminhada ao longo da costa marítima, Odin viu nove lindas gigantes, as donzelas das ondas Gialp, Greip, Egia, Augeia, Ulfrun, Aurgiafa, Sindur, Atla e Iarnsaxa, adormecidas na areia branca. O deus do céu ficou tão encantado com essas belas criaturas que se casou com todas as nove, e elas se uniram, no mesmo momento, para dar à luz um filho que recebeu o nome de Heimdall.

As nove mães passaram a nutrir seu bebê com a força da terra, a umidade do mar e o calor do sol, e essa dieta singular se mostrou tão fortalecedora que o novo deus adquiriu pleno crescimento em um espaço de tempo notavelmente curto, depois do que se apressou a se juntar ao pai em Asgard. Ele encontrou os deuses orgulhosamente contemplando a ponte do arco-íris Bifrost, que haviam acabado de construir a partir do fogo, do ar e da água, os três materiais que ainda podem ser vistos claramente em seu longo arco, onde brilham as três cores primárias: o vermelho representando o fogo, o azul representando o ar e o verde representando as profundidades frias do mar.

O GUARDIÃO DO ARCO-ÍRIS

Essa ponte ligava o céu e a terra e terminava sob a sombra da poderosa árvore do mundo, Yggdrasil, perto da fonte guardada por Mímir, e a única coisa que impedia o gozo completo do espetáculo glorioso era o medo de que os gigantes do gelo encontrassem um meio de passar por ela e assim ganhar acesso a Asgard.

Os deuses estavam debatendo a conveniência de nomear um guardião de confiança e saudaram o novo recruta como alguém bem preparado para cumprir os onerosos deveres do ofício.

Heimdall assumiu com prazer a responsabilidade e, a partir de então, noite e dia, manteve sob vigilância a estrada do arco-íris em direção a Asgard.

Para permitir que o vigia detectasse a aproximação de qualquer inimigo de longe, os deuses deram a ele sentidos tão aguçados que se diz que ele era capaz de ouvir a grama crescer na encosta da colina e a lã nas costas das ovelhas; de ver a uma distância de cem quilômetros tão claramente de noite quanto de dia; e, além de tudo isso, ele precisava dormir menos que um pássaro.

Heimdall recebeu, ainda, uma espada e uma maravilhosa trombeta, chamada Giallar-horn, que os deuses lhe mandaram tocar sempre que visse seus inimigos se aproximar, declarando que seu som despertaria todas as criaturas do céu, da terra e de Niflheim. Seu último sopro pavoroso anunciaria a chegada do dia em que a batalha final seria travada.

Para manter esse instrumento, que era um símbolo da lua crescente, sempre à mão, Heimdall o pendurava em um galho de Yggdrasil acima de sua cabeça ou o afundava nas águas do poço de Mímir. No segundo, a trombeta ficava lado a lado com o olho de Odin, que era um emblema da lua em sua plenitude.

O palácio de Heimdall, chamado Himinbiorg, estava situado no ponto mais alto da ponte, e ali os deuses costumavam visitá-lo para bebericar o delicioso hidromel.

Heimdall sempre foi retratado em uma armadura branca resplandecente e, portanto, era chamado de deus brilhante. Ele também era conhecido como o deus leve, inocente e gracioso, nomes que ele merecia, pois era tão bom quanto belo, e todos os deuses o amavam. Conectado pelo lado de suas mães ao mar, ele às vezes era incluído entre os Vanas; e, como os antigos nórdicos (especialmente os islandeses, para quem o mar circundante parecia o elemento mais importante) imaginavam que todas as coisas haviam surgido dele, atribuíam a ele um conhecimento abrangente e o imaginavam particularmente sábio.

Heimdall foi ainda mais distinguido por seus dentes de ouro, que brilhavam quando ele sorria, e renderam a ele o sobrenome de Gullintani (dentes de ouro). Ele também tinha um corcel veloz, de cor dourada, chamado Gull-top, que o levava de um lado para outro sobre a ponte trêmula do arco-íris. Ele a atravessava muitas vezes por dia, mas particularmente no início da manhã, quando, como arauto do dia, ele tinha o nome de Heimdellinger.

HELA

Hela, a deusa da morte, era filha de Loki, deus do mal, e da gigante Angurboda, a portadora de doenças. Ela veio ao mundo em uma caverna escura em Jotunheim, junto com a serpente Jormungand e o terrível lobo Fenris, o trio considerado como emblemas da dor, do pecado e da morte.

No devido tempo, Odin tomou conhecimento da terrível ninhada que Loki estava acalentando e resolveu expulsá-los da face da Terra. A serpente foi lançada ao mar, onde suas contorções causavam as mais terríveis tempestades; o lobo Fenris foi acorrentado, graças a Tyr; e Hela, a deusa da morte, foi lançada nas profundezas de Niflheim, onde Odin deu a ela poder sobre nove mundos.

Nesse reino, que estava situado sob a Terra, só era possível entrar após uma dolorosa jornada pelas estradas mais difíceis nas regiões frias e escuras do extremo Norte. O portão ficava tão longe de todas as moradas humanas que até Hermod, o veloz, montado em Sleipnir, teve de viajar nove longas noites antes de chegar ao rio Giöll. Ali ficava a fronteira de Niflheim, sobre a qual foi construída uma ponte de cristal arqueada com ouro, pendurada por um único fio de cabelo, e constantemente guardada pelo esqueleto sombrio Mödgud, que fazia todos os espíritos pagar um pedágio de sangue para poderem passar.

Os espíritos geralmente cavalgavam ou passavam por essa ponte montado em seus cavalos ou nas carroças que haviam sido queimadas na pira funerária, e as raças do Norte tinham o cuidado de prender nos pés dos que partiam um par de sapatos especialmente fortes, chamados sapatos de Hela, para que eles não sofressem durante a longa jornada por estradas irregulares.

Logo depois de atravessar a ponte Giallar, o espírito alcançava o Bosque de Ferro, onde não havia senão árvores nuas e com folhas de ferro e, depois de passar por ele, alcançava o portão de Hela, ao lado do qual o feroz cão manchado de sangue Garm vigiava, encolhido em um buraco escuro conhecido como a caverna Gnipa.

Essa deusa tinha muitas moradas diferentes para os convidados que a visitavam diariamente, pois recebia não apenas criminosos de todos os tipos, mas também aqueles que tiveram a infelicidade de morrer sem derramar sangue. Para seu reino também eram enviados aqueles que morriam de velhice ou doença, um modo de morte que era chamado com desprezo de "morte da palha", pois os leitos das pessoas eram geralmente desse material.

Embora os inocentes fossem tratados com gentileza por Hela, não é de se admirar que os habitantes do Norte tremessem com o pensamento de visitar sua morada triste. Por isso, os homens preferiam morrer pela lança ou atirar-se de um precipício, e as mulheres não recuavam de medidas igualmente heroicas. No extremo de sua tristeza, não hesitavam em atirar-se de uma montanha ou de cair sobre as espadas que lhes eram dadas no casamento, para que seus corpos fossem queimados com o daqueles a quem amavam e seus espíritos fossem liberados para juntar-se a eles no brilhante lar dos deuses.

No entanto, outros horrores aguardavam aqueles cuja vida havia sido criminosa ou impura. Esses espíritos eram banidos para Nastrond, o cordão de cadáveres, onde vagavam em correntes geladas de veneno através de uma caverna cheia de serpentes, cujas presas venenosas estavam viradas para eles. Depois de sofrerem incontáveis agonias, eram levados ao caldeirão Hvergelmir, onde a serpente Nidhug parava por um momento de roer a raiz da árvore Yggdrasil para se alimentar de seus ossos.

IDUN

AS MAÇÃS DA JUVENTUDE

Idun, a personificação da primavera ou da juventude imortal, que não teve nascimento e nunca provou a morte, foi calorosamente acolhida pelos deuses quando chegou a Asgard com Bragi. Para conquistar ainda mais os afetos dos deuses, ela prometeu que todos os dias eles poderiam provar o sabor das maravilhosas maçãs que ela trazia em sua cesta e que tinham o poder de conferir juventude imortal e beleza a todos que compartilhassem delas.

Graças a essa fruta mágica, os deuses escandinavos, que, por nascerem de uma raça mista, não eram todos imortais, afastaram a chegada da velhice e da doença e permaneceram vigorosos, bonitos e jovens por incontáveis anos. Portanto, essas maçãs eram consideradas muito preciosas, e Idun as guardava cuidadosamente em uma cesta mágica. Por mais que ela retirasse as frutas da cesta, a quantidade não se alterava. E assim ela as distribuía nas festas dos deuses, os únicos a quem ela permitia provar, embora anões e gigantes estivessem ansiosos para obter a posse do fruto.

O SEQUESTRO DE IDUN

Idun era uma bela deusa que fazia parte da tribo dos Æsir e era conhecida como a guardiã das maçãs da juventude em Asgard.

Um dia, Odin, Loki e Hoenir estavam em meio a uma jornada pelas montanhas isoladas de Asgard. Depois de caminhar por muito tempo, chegaram a uma região deserta. Cansados e com fome, encontraram um rebanho de bois e decidiram matar um para comer. Fizeram, então, uma fogueira para assar a carne e se sentaram para descansar enquanto esperavam. Entretanto, apesar do fogo alto, o animal permanecia cru, mesmo após várias tentativas. De repente, uma voz surgiu dos galhos de uma árvore. Olhando para cima, viram uma grande águia espreitar entre as folhas. O pássaro admitiu que estava impedindo que os deuses cozinhassem a carne, mas se ofereceu para retirar o encanto se os deuses dividissem o alimento com ele. Os deuses não tiveram outra alternativa senão aceitar a oferta da águia, permitindo que ela pegasse uma porção. Foi aí que ela, esperta, voou até eles e pegou a melhor parte da carne.

Os deuses ficaram enraivecidos com a ganância do animal. Loki não aceitou aquilo como parte do combinado, pegou um grande galho de árvore e começou a atacar a águia, esquecendo que ela tinha habilidades mágicas. O animal se defendeu: agarrou uma das pontas do galho e colou a outra às mãos de Loki, que foi erguido pelos ares. Aterrorizado, Loki implorou à águia que o colocasse no chão e prometeu que faria qualquer coisa em troca de sua liberdade.

Então a águia, que na verdade era o gigante da tempestade Thiassi disfarçado, concordou em libertar Loki com uma condição: ele teria de atrair Idun para fora de Asgard, para que Thiasse se apossasse dela e das frutas mágicas.

Ao voltarem a Asgard, Loki foi logo visitar Idun e lhe contou que havia encontrado frutas muito mais lindas que as dela e que ela deveria segui-lo para ver as frutas e compará-las. Idun seguiu Loki e, quando saiu de Asgard, foi pega por Thassi em forma de águia, raptada e levada pelos céus para sua casa desolada em Thrymheim (Casa do Trovão), que ficava no topo das montanhas. Isolada de seus amados companheiros, Idun ficou pálida e triste, mas se recusou persistentemente a deixar Thiassi provar de seus frutos mágicos.

O tempo passou, e pouco a pouco os deuses começaram a perceber mudanças em seus corpos. Suas peles se tornaram mais escuras e enrugadas, seus cabelos ficaram grisalhos e eles não sentiam mais a energia que outrora tiveram. Alarmados, reuniram-se para procurar pela deusa desaparecida. Ao investigar onde Idun havia sido vista pela última vez, descobriram que ela fora vista saindo de Asgard na companhia de Loki. Os deuses interrogaram Loki e ameaçaram puni-lo severamente se ele não contasse o que havia acontecido com a deusa, e ele foi forçado a admitir que a entregara para o gigante. Os deuses, então, ordenaram que ele fosse resgatar Idun ou seria punido com a morte.

Loki pegou emprestada a famosa pena de falcão da deusa Freya e voou em direção a Thrymheim. Por sorte, o gigante havia saído para pescar e deixara Idun sozinha em casa. Loki transformou Idun em uma noz, prendeu-a entre suas garras e rapidamente retomou o caminho para Asgard. Ao voltar para casa e descobrir que a deusa cativa havia sido levada por um falcão, Thiassi transformou-se em águia e saiu em busca de Loki. Thiassi quase conseguiu alcançar Loki quando este já estava próximo aos muros de Asgard. No entanto, os deuses assistiam a tudo e se preparavam para colocar fogo nas muralhas do reino. Quando Thiassi, o perseguidor, passou por cima dos muros, as chamas e a fumaça o levaram ao chão aleijado e meio atordoado, uma presa fácil para os deuses, que se lançaram impiedosamente sobre ele e o mataram.

Ao voltar para casa, Idun distribuiu as maçãs da juventude para todo o panteão. O rosto deles se iluminou de felicidade ao ver sua beleza e sua força recuperada, e os deuses juraram que colocariam os olhos de Thiassi como uma constelação nos céus, a fim de amenizar qualquer sentimento de raiva que seus parentes pudessem experimentar ao saber que ele havia sido morto.

LOKI

Loki é o deus mais capcioso e ambivalente da mitologia nórdica. Ele ocuparia uma posição única entre os deuses, gigantes e outros tipos de seres espirituais que povoavam a região nórdica antes do cristianismo. Loki é filho do gigante Farbauti e de Laufey, que poderia ser tanto uma deusa quanto um gigante. Da união de Loki com Angrboda nasceram Hela, a deusa do mundo inferior, e Jormungand, a serpente que assassina Thor e Fenrir, o lobo que arranca uma das mãos de Tyr e mata Odin durante o Ragnarok, o que será narrado mais tarde. Além dos filhos já citados, Loki também é mãe — sim, mãe — do cavalo xamânico de Odin, Sleipnit, após ter tomado a forma de uma égua e cortejado o cavalo Svadilfari, o que é narrado no conto "A fortificação de Asgard".

Loki demonstra total indiferença pelos seus companheiros e acaba escapando não só das expectativas sociais, mas também das leis da natureza. Ele é retratado como um covarde que se importa apenas com prazeres superficiais e sua autopreservação. Por vezes, assume uma postura brincalhona e maliciosa, porém é sempre irreverente.

Ainda que Loki seja, de certa forma, um deus, não há nenhum vestígio de alguma adoração a ele, o que pode ser explicado pelo fato de seu caráter ser exatamente o oposto dos ideais nórdicos de honra e lealdade.

O ARQUITETO GIGANTE

Não obstante a maravilhosa ponte Bifrost, o caminho tremulante, e a vigilância de Heimdall, os deuses não se sentiam totalmente seguros e viviam com medo de que os gigantes do gelo conseguissem chegar a Asgard. Para evitar essa possibilidade, finalmente decidiram construir uma fortaleza impenetrável. Enquanto planejavam como isso poderia ser feito, um arquiteto desconhecido apareceu e se ofereceu para empreender a construção, desde que os deuses lhe dessem o sol, a lua e Freya, deusa da juventude e da beleza, como recompensa. Os deuses ficaram indignados com uma oferta tão presunçosa, mas, quando estavam prestes a expulsar o estrangeiro de sua presença, Loki pediu que fizessem uma barganha que seria impossível ao estrangeiro cumprir, e então eles disseram ao arquiteto que a recompensa seria dele desde que terminasse de construir a fortaleza no decorrer de um único inverno e que realizasse o trabalho sem outra ajuda senão a de seu cavalo Svadilfare.

O arquiteto desconhecido concordou com essas condições aparentemente impossíveis e imediatamente começou a trabalhar, carregando pesados blocos de pedra à noite, construindo durante o dia e progredindo tão rapidamente que os deuses começaram a ficar um pouco ansiosos. Logo perceberam que mais da metade do trabalho já havia sido realizada pelo maravilhoso corcel Svadilfare. Quando viram, perto do final do inverno, que o trabalho estava praticamente concluído, exceto por um portal, o qual eles sabiam que o arquiteto poderia erguer facilmente durante a noite, ficaram temerosos.

Aterrorizados pela ideia de terem de entregar não apenas o sol e a lua, mas também Freya, a personificação da juventude e da beleza do mundo, os deuses se voltaram contra Loki e ameaçaram matá-lo, a menos que ele inventasse algum meio de impedir que o arquiteto terminasse o trabalho dentro do tempo especificado.

A astúcia de Loki se mostrou mais uma vez à altura da situação. Ele esperou até o anoitecer do dia final e, quando Svadilfare passava pela borda de uma floresta, arrastando arduamente um dos grandes blocos de pedra necessários para o término do trabalho, o deus astuto saiu correndo de uma clareira escura, disfarçado em uma égua, e relinchou tão convidativamente que, em um instante, o cavalo se soltou do arreio e galopou em seu encontro, perseguido de perto por seu mestre irado. A égua galopava rapidamente, atraindo o cavalo com suas artimanhas e penetrando cada vez mais fundo na escuridão da floresta, até que a noite estivesse quase no fim e não mais fosse possível terminar o trabalho. O arquiteto não era outro senão um Hrimthurs[7] disfarçado, e agora ele retornava a Asgard com

7. Hrimthur é um gigante do gelo, inimigo dos deuses de Asgard.

uma raiva imensa pela fraude que havia sido praticada contra ele. Assumindo suas proporções habituais, ele teria aniquilado os deuses se Thor não tivesse subitamente retornado de uma jornada e o matado com seu martelo mágico Mjolnir, o qual ele atirou com força tremenda no rosto do gigante.

Os deuses se salvaram nessa ocasião apenas pelo uso da fraude e pela ação violenta de Thor, e esses atos estavam destinados a trazer grande tristeza para eles e, por fim, sua queda, ao apressar a vinda de Ragnarok. Loki, no entanto, não sentiu remorso e, no devido tempo, diz-se que ele se tornou mãe de um cavalo de oito pés chamado Sleipnir, o qual, como vimos, era a montaria favorita de Odin.

NIORD

O DEUS DO VERÃO

Depois da guerra entre Æsir e Vanir, Niord, com seus dois filhos, Frey e Freya, estabeleceram moradia em Asgard.

Como governante dos ventos e do mar perto da costa, Niord recebeu o palácio de Noatun, perto da praia, de onde acalmava as terríveis tempestades provocadas por Ægir, deus do mar profundo. Niord também estendia sua proteção especial ao comércio e à pesca, duas ocupações que só podiam ser exercidas plenamente durante os curtos meses de verão, dos quais ele era, em certa medida, considerado a personificação.

Niord é representado, na arte, como um deus muito bonito, no auge da vida, vestido com uma túnica verde, com uma coroa de conchas e algas na cabeça ou um chapéu de aba marrom adornado com plumas de águia ou garça. Como personificação do verão, ele era invocado para acalmar as tempestades violentas que desolavam as costas durante os meses de inverno.

Como a agricultura era praticada apenas durante os meses de verão, e principalmente ao longo dos fiordes ou enseadas marítimas, Niord também era invocado para proporcionar colheitas favoráveis, pois dizia-se que ele se deleitava em fazer prosperar aqueles que depositavam sua confiança nele.

A primeira esposa de Niord foi sua irmã Nerthus, a Mãe Terra. Niord foi, no entanto, obrigado a se separar dela quando foi convocado para Asgard, onde ocupava um dos doze assentos no grande salão do conselho.

Em sua casa à beira-mar, Niord se deliciava em observar as gaivotas voarem de um lado para o outro e em observar os movimentos graciosos dos cisnes, suas aves favoritas, que eram consideradas sagradas por ele. Ele também passava muitas horas contemplando as brincadeiras das focas, que se aqueciam ao sol a seus pés.

NORNAS

As deusas nórdicas do destino, chamadas Nornas, estavam sujeitas aos outros deuses, que, no entanto, não podiam questionar nem influenciar os decretos delas. Eram três irmãs, provavelmente descendentes do gigante Norvi, de quem nasceu Nott (Noite). Assim que a Era de Ouro terminou e o pecado começou a invadir até mesmo os lares celestiais de Asgard, as Nornas apareceram sob o grande freixo Yggdrasil e passaram a morar perto da fonte Urdar. A missão delas era alertar os deuses sobre o mal futuro, pedir-lhes que fizessem bom uso do presente e ensinar-lhes lições saudáveis do passado.

Essas três irmãs, cujos nomes eram Urd, Verdandi e Skuld, eram personificações do passado, do presente e do futuro. Suas principais ocupações eram tecer a teia do destino, regar diariamente a árvore sagrada com água da fonte Urdar e colocar argila fresca em torno das raízes dela para que permanecessem sempre verdes.

Diz-se, ainda, que as Nornas vigiavam as maçãs douradas que ficavam penduradas nos galhos da árvore da vida, da experiência e do conhecimento, permitindo que somente Idun colhesse os frutos com que os deuses renovavam sua juventude.

As Nornas também alimentavam dois cisnes que nadavam sobre a superfície espelhada da fonte Urdar e cuidavam ternamente deles. Desse par de pássaros todos os cisnes da Terra descendiam. Às vezes, as Nornas se vestiam com a plumagem dos cisnes para visitar a Terra ou se divertiam como sereias ao longo da costa e em vários lagos e rios, aparecendo aos mortais, de tempos em tempos, para prever o futuro deles ou dar-lhes conselhos sábios.

As Nornas às vezes teciam teias tão grandes que, enquanto uma das tecelãs ficava no alto de uma montanha no extremo leste, outra adentrava o mar do oeste. Os fios de suas tramas se assemelhavam a cordões e variavam bastante em tom, de acordo com a natureza dos eventos que estavam prestes a ocorrer, e um fio preto, que se estendia de norte a sul, era invariavelmente considerado um presságio de morte. Enquanto as irmãs teciam de um lado para o outro, entoavam uma canção solene. Elas não pareciam tecer de acordo com seus próprios desejos, mas cegamente, como se executassem com relutância os desejos de Orlog, a lei eterna do universo, um poder superior e mais antigo, que aparentemente não tinha início nem fim.

Duas das Nornas, Urd e Verdandi, eram consideradas muito benéficas, enquanto a terceira — dizia-se — desfazia incansavelmente o trabalho delas e, muitas vezes, quando o trabalho estava quase terminado, rasgava-o com raiva, espalhando os restos pelos ventos do céu. Como personificações do tempo, as Nornas eram representadas como irmãs de diferentes idades e personalidades: Urd (Estranha) parecia muito velha e decrépita, olhando continuamente para trás, como se estivesse absorvida em contemplar eventos e pessoas do passado; Verdandi, a segunda irmã, jovem, ativa e destemida, olhava para o que estava diante dela; Skuld, o tipo do futuro, era geralmente representada como muito velada, com a cabeça virada na direção oposta ao local para onde Urd estava olhando e segurando um livro ou pergaminho que ainda não havia sido aberto ou desenrolado.

Essas Nornas eram visitadas diariamente pelos deuses, que adoravam consultá-las. Até o próprio Odin costumava descer até a fonte de Urdar para pedir ajuda a elas, pois, em geral, elas respondiam às perguntas dele, mantendo-se em silêncio apenas sobre o destino de Odin e o de seus companheiros deuses.

A HISTÓRIA DE NORNAGESTA

Em uma ocasião, as três irmãs viajavam para a Dinamarca e foram visitar a habitação de um nobre, quando o primeiro filho dele veio ao mundo. Entrando no cômodo onde a mãe estava, a primeira Norna prometeu que a criança seria bonita e corajosa; a segunda, que ele seria próspero e um grande poeta, uma predição que encheu os corações dos pais de alegria. Enquanto isso, as notícias do que estava acontecendo espalhavam-se lá fora, e os vizinhos lotaram a casa a tal ponto que a pressão da curiosa multidão fez com que a terceira Norna fosse empurrada rudemente da cadeira.

Zangada com esse insulto, Skuld levantou-se indignada e declarou que os presentes de suas irmãs não teriam proveito, pois ela decretava que a criança viveria apenas enquanto durasse a vela que queimava perto da cabeceira. Essas palavras ameaçadoras encheram o coração da mãe de terror e, trêmula, ela apertou o bebê contra o peito, pois a vela estava quase terminando e não demoraria muito até que se apagasse. A Norna mais velha, no entanto, não tinha a menor intenção de ver sua previsão assim anulada, mas, como não podia forçar a irmã a retirar as palavras, pegou rapidamente a vela, apagou-a e deu o toco para a mãe da criança, ordenando que ela a guardasse com cuidado e nunca mais a acendesse até que seu filho estivesse cansado da vida.

O menino recebeu o nome de Nornagesta, em homenagem às Nornas, e cresceu tão bonito, corajoso e talentoso quanto qualquer mãe poderia desejar. Quando tinha idade suficiente para compreender a gravidade da previsão, a mãe contou-lhe a história da visita das Nornas e colocou nas mãos dele a ponta da vela, que ele guardou por muitos anos, colocando-a em segurança dentro da estrutura de sua harpa. Quando seus pais morreram, Nornagesta vagou de um lugar para outro, participando e distinguindo-se em todas as batalhas, cantando suas baladas heroicas onde quer que fosse. Como tinha um temperamento entusiasmado e poético, não se cansou da vida e, enquanto outros heróis se enrugavam e envelheciam, ele continuava jovem no coração e com uma estrutura vigorosa.

Ele, portanto, testemunhou os feitos emocionantes das eras heroicas, foi o companheiro dos antigos guerreiros e, depois de viver trezentos anos, viu a crença nos antigos deuses pagãos ser gradualmente suplantada pelos ensinamentos dos missionários cristãos. Por fim, Nornagesta chegou à corte do rei Olaf Tryggvesson, que, de acordo com seu costume, converteu-o quase à força e o obrigou a receber o batismo. Então, desejando convencer seu povo de que o tempo da superstição havia passado, o rei forçou o poeta idoso a acender a vela de que cuidara com tanto cuidado por mais de três séculos.

Apesar de sua recente conversão, Nornagesta observava a chama com ansiedade enquanto ela tremeluzia e, quando ela finalmente se apagou, ele caiu no chão sem vida, provando, assim, que, apesar do batismo que acabara de receber, ainda acreditava na previsão das Nornas.

Na Idade Média e mais tarde, as Nornas aparecem, em muitas histórias ou mitos, como fadas ou bruxas — por exemplo, no conto da Bela Adormecida e da tragédia *Macbeth*, de Shakespeare.

O deus nórdico Odin entronizou, ladeado por seus dois lobos, Geri e Freki, e seus dois corvos, Huginn e Muninn, e segurando sua lança Gungnir.
Ilustração de Ludwig Pietsch (1865)

ODIN

Pai dos deuses e dos homens, Odin, Wuotan ou Woden era o deus mais alto e sagrado dos povos do norte. Nenhuma divindade escandinava supera Odin em magnificência e poder. Além de rei dos deuses e governante supremo de Asgard, ele é o senhor da guerra, do conhecimento mágico e da poesia, o patrono dos mortos em combate e enforcados. Nele, o temível guerreiro se junta ao feiticeiro capaz de acordar os mortos do sono eterno.

Como todos os deuses são descendentes dele, ele tinha o sobrenome de Pai e, como era o mais velho, ocupava o lugar mais alto de Asgard. Sentado em seu trono Hlidskialf, que era também uma poderosa torre de vigia, ele podia observar o mundo inteiro e ver de relance tudo o que estava acontecendo entre deuses, gigantes, elfos, anões e homens.

Sua aparência corresponde à de um homem imponente de barbas longas. Ele só tem um olho, pois jogou o outro na fonte da sabedoria, localizada na base do carvalho cósmico Yggdrasil, administrada por Mímir, o mais sábio dos deuses, que foi decapitado pelos Vanir durante o conflito entre os dois clãs. Odin fez isso como pagamento para poder beber da fonte.

Quando viaja, Odin usa uma capa azul e um chapéu de abas largas e, às vezes, anda descalço, o que lhe dá a aparência de um peregrino misterioso ou um vagabundo e impede que os homens o reconheçam.

Odin tem dois corvos, chamados Hugin (Reflexão) e Munin (Memória), pelos quais mantém uma afeição especial. Os corvos deixam Asgard todas as manhãs para retornar, ao entardecer, carregados de notícias que contam ao ouvido de Odin enquanto descansam nos ombros dele. Em Asgard, Odin geralmente está acompanhado por outros dois animais de estimação, os lobos Geri (Ganancioso) e Freki (Voraz), a quem alimenta com carne de sua própria mesa, já que não precisa de comida. A Odin basta ingerir o hidromel sagrado. Ele também cavalga o cavalo Sleipnir (Escorregadio), um corcel mágico de oito pernas, o mais rápido que homens ou deuses já montaram.

Odin tem dois objetos mágicos que aumentam seu poder e riqueza: um é o Dráupnir, um anel de ouro do qual a cada nove noites goteja outro idêntico; o outro é a lança Gúngnir, que sempre atinge seu alvo e sobre a qual são feitos juramentos inquebráveis.

Além do magnífico salão Gladsheim, onde ficam os doze assentos ocupados pelos deuses quando se reúnem em conselho, e de Valaskialf, onde seu trono, Hlidskialf, foi colocado, Odin tem um terceiro palácio em Asgard, situado no meio do maravilhoso Glasir. É nesse palácio, chamado Valhalla (Salão dos Mortos Escolhidos), que Odin recebe os guerreiros mortos em combate. Estes são selecionados e resgatados pelas Valquírias nos campos de batalha e conduzidos ao pé do trono de Odin, onde recebem os elogios por sua bravura. Quando algum favorito especial do deus era levado para Asgard, Valfather (Pai dos Mortos), como Odin era chamado quando presidia os guerreiros, às vezes se levantava de seu trono e, pessoalmente, dava as boas-vindas no grande portão de entrada.

A FONTE DE MÍMIR

Conta-se que, no início dos tempos, para obter a grande sabedoria pela qual é tão famoso, Odin visitou a Fonte de Mímir (Memória), "a fonte de toda a inteligência e sabedoria", em cujas profundidades líquidas até o futuro estava claramente refletido. Odin implorou ao velho que guardava a fonte para que o deixasse beber dela. Contudo, Mímir, que conhecia bem o valor de tal favor, recusou o benefício, a menos que Odin consentisse em dar em troca um de seus olhos.

O deus não hesitou, pois muito valorizava a água sagrada, e imediatamente arrancou um de seus olhos, entregando-o a Mímir, que o jogou no fundo de sua fonte.

Bebendo fartamente da fonte de Mímir, Odin adquiriu o conhecimento que cobiçava e nunca se arrependeu do sacrifício que havia feito. Em memória àquele dia, quebrou um galho da árvore sagrada Yggdrasil e com ele fabricou sua lança Gungnir.

Entretanto, embora Odin fosse agora um sábio, estava triste e oprimido, pois havia visto o futuro e se tornara consciente da natureza transitória de todas as coisas e até mesmo do destino dos deuses, que estavam condenados a perecer. Esse conhecimento afetou tanto seu espírito que ele carregou para sempre uma expressão melancólica e contemplativa.

Para testar o valor da sabedoria que recebera, Odin foi visitar o mais instruído de todos os gigantes, Vafthrudnir, e travou com ele uma disputa de inteligência em que a aposta era nada menos que a cabeça do perdedor.

Nessa ocasião, Odin se disfarçara de andarilho, a conselho de Frigga, e declarara que seu nome era Gangrad. A disputa de sagacidade começou imediatamente. Vafthrudnir questionava seu convidado sobre os cavalos que levavam o Dia e a Noite pelo céu, sobre o rio Ifing que separava Jotunheim de Asgard e também sobre Vigrid, o campo onde a última batalha seria travada. Odin respondeu minuciosamente a todas essas perguntas.

Quando Vafthrudnir terminou, Odin iniciou o interrogatório e recebeu respostas igualmente explícitas sobre a origem do céu e da terra, a criação dos deuses, a batalha com os Vanas, as ocupações dos heróis em Valhalla e os governantes que substituiriam o Æsir quando todos tivessem perecido com o mundo que haviam criado. Quando, por fim, Odin se inclinou para perto do gigante e perguntou suavemente quais palavras Odin sussurrou para seu filho morto Balder, enquanto este estava deitado em sua pira funerária, Vafthrudnir reconheceu seu visitante divino. Saltando para trás, consternado, Vafthrudnir declarou que ninguém além do próprio Odin poderia responder a essa pergunta e que agora estava bastante claro que ele se empenhara loucamente em uma disputa de sabedoria e inteligência com o rei dos deuses e merecia plenamente a penalidade pelo fracasso, a perda de sua cabeça.

SKADI

A DEUSA DO INVERNO

Logo após o retorno de Idun de Thrymheim e a morte de Thiassi dentro dos limites de Asgard, os deuses reunidos ficaram muito surpresos e consternados ao ver Skadi, a filha do gigante, aparecer um dia para exigir satisfação pela morte de seu pai. Embora fosse filha de um gigante do gelo feio e velho, Skadi, a deusa do inverno, era, na verdade, muito bonita. Ela usava uma armadura prateada, uma lança cintilante, flechas pontiagudas, vestido de caça branco curto, perneiras de pele branca e sapatos de neve largos. Os deuses não puderam deixar de reconhecer a justiça de sua reivindicação, por isso ofereceram a reparação habitual como expiação. Skadi, no entanto, estava tão zangada que a princípio recusou esse compromisso e exigiu uma vida por uma vida, até que Loki, desejando aplacar sua ira e pensando que, se pudesse ao menos fazê-la sorrir, o resto seria fácil, começou a fazer todo tipo de brincadeiras. Prendendo uma cabra a si mesmo por um cordão invisível, ele fez por uma série de travessuras, que foram reproduzidas pela cabra, e a visão era tão grotesca que todos os deuses riram e até Skadi foi forçada a sorrir.

Aproveitando esse clima ameno, os deuses apontaram para o firmamento, onde os olhos do pai de Skadi brilhavam como estrelas radiantes no hemisfério norte. Disseram a ela que os colocaram lá para lhe render toda a honra e, finalmente, acrescentaram que ela poderia escolher como marido qualquer um dos deuses presentes na assembleia, porém a escolha deveria ser feita vendo apenas as pernas e os pés dos candidatos.

De olhos vendados para que pudesse ver apenas os pés dos deuses em círculo, o olhar de Skadi caiu sobre um par de pés muito bem formados. Ela tinha certeza de que eles pertenciam a Balder, o deus da luz, cujo rosto brilhante a encantara, e designou o dono daqueles pés como sua escolha.

Quando a venda foi removida, no entanto, ela descobriu, para seu desgosto, que havia escolhido Niord, a quem sua palavra foi prometida; mas, apesar de sua decepção, ela passou uma feliz lua de mel em Asgard, onde todos pareciam deliciar-se em fazer sua honra. Depois disso, Niord levou sua noiva para a casa em Noatun, onde o som monótono das ondas, o grito das gaivotas e das focas perturbaram tanto o sono de Skadi que ela finalmente declarou que era impossível permanecer ali por mais tempo e implorou ao marido que a levasse de volta para Thrymheim, sua terra natal.

Niord, ansioso por agradar sua nova esposa, consentiu em levá-la para Thrymheim e morar lá com ela nove noites em cada doze, desde que ela passasse os três restantes com ele em Noatun. Entretanto, quando ele alcançou a região montanhosa, o sopro do vento nos pinheiros, o trovão das avalanches, o estalo do gelo, o rugido das cachoeiras e o uivo dos lobos lhe pareceu tão insuportável quanto o som do mar parecia à sua esposa, e ele não podia deixar de se alegrar cada vez que terminava seu período de exílio e partia novamente para Noatun.

A DESPEDIDA DE NIORD E SKADI

Por algum tempo, Niord e Skadi, que são as personificações do verão e do inverno, alternaram-se assim, a esposa passando os três meses curtos de verão à beira-mar, e ele relutantemente permanecendo com ela em Thrymheim durante os nove longos meses de inverno. Todavia, concluindo finalmente que seus gostos nunca iriam concordar, eles decidiram separar-se para sempre e voltaram para suas respectivas casas, onde cada um poderia seguir as ocupações que lhes foram conferidas e os costumes que haviam herdado.

Skadi depois se casou com Uller, o deus do inverno. Como Skadi era uma atiradora hábil, ela é representada com arco e flecha e, como deusa da perseguição, geralmente é acompanhada por um dos lobos esquimós, tão comuns no norte. Skadi era invocada por caçadores e viajantes no inverno, cujos trenós ela guiava sobre a neve e o gelo, ajudando-os a alcançar seu destino em segurança.

A raiva de Skadi contra os deuses que mataram seu pai, o gigante das tempestades, é um emblema da rigidez inflexível da terra envolta em gelo, que a brincadeira de Loki finalmente suavizou (o raio do calor). Ela sorri e permite o abraço de Niord (Verão). Seu amor, no entanto, não pode segurá-la por mais de três meses do ano, pois ela sempre anseia secretamente pelas tempestades de inverno e por suas atividades habituais entre as montanhas.

A ADORAÇÃO DE NIORD

Niord deveria abençoar os navios que entravam e saíam do porto, e seu templo ficava à beira-mar. Como todas as plantas aquáticas deveriam pertencer a ele, a esponja marinha era conhecida no norte como "luva de Niord", um nome que foi mantido até recentemente, quando a mesma planta foi rebatizada popularmente de "mão da Virgem".

Na imagem ao lado: *Luta de Thor com os gigantes*
Pintura de Mårten Eskil Winge, 1872.

THOR

Thor é uma das figuras mais importantes da mitologia nórdica. Filho de Odin e Iord (Terra) e deus guerreiro por excelência, Thor é o arquétipo do guerreiro leal e honrado. Ele é o defensor infatigável dos deuses Æsir e de sua fortaleza, Asgard, contra as invasões dos gigantes, que em geral são inimigos dos deuses. Ninguém é mais adequado para essa tarefa que Thor. Sua coragem e senso de dever são inabaláveis, e sua força física é praticamente inigualável.

Thor é facilmente reconhecido por sua barba ruiva e por estar sempre carregando um martelo mágico de cabo curto, Mjolnir, de grande poder destrutivo e que sempre volta para sua mão após ser atirado. Para manuseá-lo, é preciso usar luvas de ferro especiais. Além disso, ele tem um cinto mágico que dobra sua força, que já é imensa.

O martelo de Thor era usado para santificar tanto quanto era usado para destruir — e, na verdade, essas duas propriedades eram uma e a mesma, já que qualquer purificação envolve, necessariamente, o banimento de forças ou elementos hostis. A bênção dos casamentos, por exemplo, era realizada por meio de seu martelo.

O deus do trovão faz incursões frequentes ao mundo dos gigantes. Sempre viaja em um carro puxado por duas cabras, Tanngrísnir e Tanngnióst, que em caso de emergência também servem de alimento, porque ressuscitam de seus ossos. Esses animais poderiam ser sacrificados ao pôr do sol e ressuscitar na manhã seguinte, desde que fosse tomado o cuidado de colocar os ossos sem quebrar nas respectivas peles e abençoá-las com o martelo.

O inimigo particular de Thor é Jormungand, a enorme serpente marinha que circunda Midgard, o mundo da civilização humana. Thor e Jormungand finalmente se enfrentarão durante o Ragnarok, quando nenhum dos dois sobreviverá.

Além de seu papel como guerreiro modelo e defensor da ordem da sociedade e de suas ambições, Thor desempenhou um grande papel na promoção da agricultura e da fertilidade. Dizem que Thor preside o ar, que governa os trovões e os raios, os ventos e as chuvas, o clima agradável e as colheitas. Sua esposa Sif, raramente mencionada, é conhecida principalmente por seus cabelos dourados, o que certamente é um símbolo para os campos de grãos. Seu casamento é, portanto, um exemplo do que os historiadores da religião chamam de "hierogamia" (casamento divino), que, particularmente entre os povos indo-europeus, geralmente ocorre entre um deus do céu e uma deusa da terra. A fecundidade da terra e a prosperidade concomitante do povo são resultado da união sexual do céu e da terra.

OS CABELOS DOURADOS DE SIF

Sif era a esposa de Thor, o deus do trovão. Ela tinha lindos cabelos longos que caíam sobre seus ombros como uma chuva de ouro. Um dia, Loki passava pelo palácio de Thor quando viu Sif adormecida nos degraus. Não havia nada que Loki apreciasse mais do que uma chance de fazer maldade, e não houve uma única vez em que tenha visto algo bonito sem querer estragá-lo. Então, quando ele encontrou Sif dormindo profundamente, caminhou na pontas dos pés até ela e cortou todo o cabelo dourado da deusa.

Quando Sif finalmente acordou e viu o que havia acontecido, começou a chorar amargamente, pois seus cabelos dourados eram o orgulho e a alegria de Thor. Ela estava com medo de que ele nunca mais quisesse olhar para ela agora que não mais os tinha. Então ela se levantou da escada onde estava sentada e foi se esconder no jardim. Quando Thor chegou em casa, procurou-a por todo o palácio e foi de sala em sala chamando o nome dela. Não a encontrando em casa, ele saiu para o jardim e, depois de procurar por um longo tempo, finalmente encontrou a pobre Sif atrás de uma pedra soluçando amargamente. Quando ouviu a história dela, tentou confortá-la da melhor maneira possível, mas Sif continuou chorando e cobriu com os braços a cabeça tosquiada.

"Eu sei quem fez essa coisa vergonhosa", exclamou Thor, irado. "Foi aquele malvado Loki, mas desta vez ele pagará caro por essa maldade". Dizendo isso, saiu do palácio com um olhar tão ameaçador que até os outros deuses tremeram. Loki não esperava ser pego tão cedo, por isso não pensara em procurar um esconderijo. Então, quando Thor apareceu diante dele repentinamente, Loki ficou assustado demais para tentar escapar. Ele se esqueceu até mesmo de suas mentiras prontas. Quando Thor o sacudiu com raiva e ameaçou matá-lo por seu ato perverso, ele não negou, apenas implorou por misericórdia e prometeu devolver a Sif os cabelos que havia cortado. Thor, então, soltou-o, depois de fazê-lo jurar solenemente cumprir sua promessa.

Loki já havia perdido o cabelo verdadeiro que cortara. Então, para manter sua palavra, ele deveria encontrar outra coisa que fosse suficientemente parecida, para fazer Sif acreditar que realmente tinha seu próprio cabelo de volta. Como havia apenas um lugar onde um trabalho hábil e astuto como esse poderia ser feito, Loki atravessou a ponte do arco-íris que liga Asgard à Terra e correu para a montanha alta que esconde entre suas rochas a entrada para o mundo inferior. Ninguém, além de um deus ou um dos elfos escuros, poderia ter encontrado essa abertura oculta, mas Loki a conhecia bem. Primeiro, ele procurou um pequeno riacho que corria ao pé da montanha. Ele o seguiu até sua fonte, em uma caverna profunda entre as rochas, e, quando chegou ao local onde ela borbulhava do chão, levantou um tronco enorme que estava ali caído, aparentemente por acaso. Isso revelou uma pequena passagem que levava ao centro da Terra e, ao longo desse caminho, Loki se apressou, tropeçando na escuridão, até chegar ao submundo, onde viviam os elfos escuros. Eles estavam ocupados em sua maravilhosa oficina, que era iluminada apenas pelo fogo da forja, mas, quando viram Loki, deitaram suas ferramentas e perguntaram como poderiam servi-lo.

"Eu tenho uma tarefa para vocês", respondeu Loki, "que exige tanta habilidade que mal ouso pedir que vocês tentem. Trata-se nada menos do que fazer com seu ouro algumas mechas de cabelo que devem ser tão macias, finas e bonitas quanto os cabelos dourados que adornam a cabeça de Sif, a esposa de Thor. Sem dúvida, vocês já ouviram falar da beleza dos cabelos da deusa, então sabem como é difícil a tarefa que dou a vocês".

Os elfos, nada assustados, começaram a trabalhar imediatamente e, selecionando uma barra de ouro perfeita, eles a martelaram muito suavemente, depois a fiaram em fios tão finos que pareciam raios de sol e tão macios que pareciam seda. Quando o trabalho foi concluído e colocado nas mãos de Loki, superavaem beleza tudo o que ele já havia visto, e ele teve certeza de que Thor não poderia reclamar de seu presente. Então ele agradeceu aos elfos escuros e correu com seu prêmio de volta a Asgard e ao palácio de Thor, onde todos os deuses estavam reunidos para ver o cumprimento da promessa de Loki.

Apesar do sucesso de seu empreendimento, o medo do temperamento precipitado de Thor manteve Loki um pouco humilhado, pois sabia-se que o Trovão esmagava o objeto de sua raiva com seu martelo quando sua ira era despertada. Seu rosto estava fechado e ameaçador quando Loki chegou, e ao lado dele estava Sif, chorando amargamente e tentando cobrir a cabeça com as mãos. No entanto, Loki se aproximou corajosamente e colocou sobre a cabeça dela os cabelos dourados que os elfos haviam feito. Para a surpresa de todos, o cabelo cresceu rapidamente, e ninguém poderia dizer que não eram seus próprios cabelos dourados. Então Sif ficou orgulhosa e feliz mais uma vez, e Loki foi perdoado.

Pintura "Donar-Thor", do pintor alemão Max Koch (1859 -1930), pintado por volta de 1905.

A CRIAÇÃO DO MARTELO DE THOR

Quando Loki foi à casa subterrânea dos elfos para encontrar o cabelo dourado para Sif, ele pensou que seria bom encomendar outros dois presentes: um para Odin e outro para Freyr — para que a raiva deles por sua crueldade com a bela esposa de Thor fosse menor. Os anões sempre ficavam muito felizes em ajudar Loki quando ele estava com problemas, pois eles também gostavam de fazer travessuras. Então, quando Loki pediu os outros dois presentes, os anões puseram-se a trabalhar com prazer. Os cabelos dourados eles já haviam colocado nas mãos de Loki, e agora andavam apressados pelo local, reunindo uma centena de materiais diferentes para usar em seu trabalho, pois eram necessárias coisas da terra, do ar, do fogo e da água para fabricar os maravilhosos presentes que vinham das mãos dos elfos.

Em pouco tempo, eles entregaram ao deus uma lança que sempre atingia o alvo, mesmo se ela fosse mal lançada, e um barco maravilhoso que se dobraria em um pequeno pacote, mas poderia também se expandir o suficiente para abrigar todos os deuses e deusas de Asgard. Loki ficou encantado com esses presentes e correu de volta ao salão do conselho de Odin, onde os deuses estavam reunidos para julgá-lo pelo tratamento cruel que dispensara a Sif.

Embora o cabelo de ouro fiado tivesse ficado tão perfeito que Loki não tinha nada a temer da raiva de Thor, ele viu que Odin ainda estava descontente e olhando para ele com as sobrancelhas severas. Assim, o deus astuto pegou os dois outros presentes e entregou a lança a Odin e o barco a Freyr. Ambos os deuses ficaram encantados com a habilidade dos elfos, e toda a assembleia estava tão ocupada examinando os presentes de Loki que não notaram o anão Brock, que havia seguido Loki até Asgard e agora estava parado na sombra do trono de Odin.

Quando os deuses ficaram exaltados ao aprovar a lança e o barco mágicos, Brock não conseguiu mais conter sua raiva e gritou: "Vocês não são capazes de encontrar nada melhor do que esses insignificantes brinquedos para elogiar? Meu irmão Sindri pode fazer coisas muito mais maravilhosas do que essas". Com essa interferência arrogante, Loki ficou muito zangado e disse: "Prove, então! Pois sei que seu irmão é apenas um trabalhador medíocre. Façamos uma aposta de que você não consegue trazer aqui três presentes melhores do que esses que você despreza; e aquele que perder a aposta pagará com a cabeça".

Brock aceitou o desafio e partiu imediatamente para a caverna onde Sindri mantinha seus anões trabalhando noite e dia.

Ele contou ao irmão sobre a aposta que havia feito com Loki, e Sindri riu e prometeu que a cabeça do deus seria pendurada na caverna, naquela noite, como um troféu. Então ele preparou uma grande fogueira e, enquanto trabalhava arduamente com suas ferramentas, ordenou que Brock atiçasse o fogo com o fole o mais forte que pudesse, para que as chamas ficassem cada vez mais altas. Então, quando achou que havia chegado o momento certo, jogou no fogo uma pele de porco e, pedindo que Brock continuasse trabalhando no fole, deixou a caverna.

O anão soprava com força. A forja brilhava tão intensamente que toda a caverna estava iluminada, e Brock podia ver as pilhas de ouro e prata e pedras brilhantes espalhadas por toda parte. De repente, um enorme moscardo voou para dentro da sala e, disparando em direção à sua mão, picou-o com tanta força que ele rugiu de dor. Ainda assim, ele não tirou a mão do fole, pois, com a astúcia de sua raça, sabia que a mosca não era outro senão Loki, que assumira essa forma na esperança de estragar o trabalho de Sindri.

Quando o mestre-ferreiro voltou, olhou ansiosamente para a forja e viu que o fogo brilhava como sempre. Então ele murmurou algumas palavras mágicas sobre as chamas e puxou um javali de ouro. Ele entregou isso ao irmão, dizendo que o javali tinha o poder de voar e lançar luz dos pelos dourados enquanto voava. Brock ficou tão satisfeito com esse presente que nada disse sobre a mão inchada. Quando Sindri pediu que ele mantivesse o fole funcionando, ele concordou de bom grado.

O ferreiro, então, jogou um pedaço de ouro nas chamas e, pedindo a Brock que mantivesse o fogo bem quente, saiu da caverna novamente. Brock começou a trabalhar com mais força do que nunca nos foles, e, quando o fogo brilhava de tal modo a parecer a luz do dia na sala, a mosca voou na direção dele e o picou no pescoço. Ele gritou de dor e tentou livrar-se do atormentador, mas continuou fiel ao trabalho e não levantou a mão dos foles nem por um momento. Quando Sindri voltou, encontrou o fogo brilhando intensamente e, inclinando-se sobre ele, retirou das chamas um belo anel de ouro, que a cada nove noites dava origem a nove anéis de ouro tão maravilhosos quanto aquele.

Brock ficou tão encantado com esse presente que quase se esqueceu do pescoço ferido e, obedientemente, manteve seu lugar no fole. Então, Sindri jogou um pedaço de ferro no fogo e, ordenando ao irmão que trabalhasse firmemente em sua tarefa — pois esse era o presente mais importante de todos —, saiu da caverna. Brock agarrou os foles com firmeza e começou a trabalhar com todas as suas forças. No momento em que as chamas estavam saltando ferozmente e a sala parecia iluminada por um milhão de velas, a mosca voou em direção a Brock e o picou entre os olhos.

O pobre anão ficou quase frenético com a dor da ferida e com o sangue que escorria em seus olhos. Entretanto, embora atordoado e cego, de modo que mal podia ver o fogo, ele continuou trabalhando obstinadamente nos foles, levantando apenas uma mão por um momento para limpar o sangue dos olhos. O fogo brilhava como uma fornalha, mas naquele instante as chamas arderam menos intensamente, e Sindri — que acabara de entrar na sala — começou a repreender o irmão por seu descuido. Então o ferreiro tirou do fogo um poderoso martelo, perfeito em todos os aspectos, exceto que o cabo era muito curto, em razão do fato de Brock ter levantado a mão por um momento dos foles.

Sindri deu os três presentes ao irmão e ordenou que os levasse imediatamente a Asgard e trouxesse a cabeça de Loki como pagamento pela aposta perdida. Quando o anão chegou ao salão do conselho de Odin, os deuses se reuniram para decidir o resultado, pois todos estavam ansiosos para ver quais presentes Sindri havia enviado. Brock entregou o anel a Odin, que o elogiou muito e disse: "Agora, nunca vai me faltar ouro". Freyr ficou encantado com seu javali e disse que seria muito mais divertido andar em suas costas do que no barco mágico de Loki. Por fim, Brock deu o maravilhoso martelo Mjolnir a Thor, dizendo: "Aqui está um martelo que pode esmagar montanhas, pode causar raios e trovões quando balança no ar e sempre voltará à sua mão, não importa o quão longe você possa jogá-lo". Então o anão virou-se para Odin e disse: "Decida agora entre Loki e eu, ó Sábio, e declare quais presentes valem mais para Asgard".

Embora os deuses relutassem em condenar um de seus membros em favor de um anão, não havia como contestar o fato de que o martelo de Thor valia mais do que todos os presentes de Loki, pois isso significava a certeza da proteção de Asgard contra os ataques do gigantes do gelo. Então Odin declarou que Brock havia ganho a aposta e que Loki devia pagar o prêmio com a cabeça. Contudo, Loki não tinha intenção de se submeter a esse decreto, então ele primeiro ofereceu ao anão uma enorme quantia em dinheiro como recompensa, mas Brock, com raiva, recusou o ouro e insistiu que o trato fosse mantido. Então Loki gritou: "Bem, você deve me pegar primeiro", e saiu em disparada com seus sapatos mágicos, que podiam carregá-lo pelo ar e sobre a água com uma rapidez maravilhosa. Como Brock sabia que nunca poderia pegar o fugitivo, ficou negro de raiva e virou-se para Odin, chorando: "É assim que os deuses mantêm a palavra, ou a palavra de Odin permanece firme?" Todos os presentes sabiam bem que uma promessa feita até mesmo pelo mais mesquinho entre eles devia ser considerada sagrada. Então Odin enviou Thor atrás de Loki. Em sua carruagem rápida, puxada pelas cabras brancas como a neve, o deus do trovão alcançou facilmente o fugitivo e o levou de volta a Asgard. Loki percebeu que deveria usar a astúcia para salvar sua vida e disse a Brock: "Você pode pegar minha cabeça, se quiser, mas não deve tocar meu pescoço".

Como isso era obviamente impossível, o anão sabia que fora enganado pelo astuto Loki e foi embora fumegando de raiva e decepção. Antes, porém, de deixar Asgard, ele tirou do bolso um furador e uma correia e costurou os lábios de Loki para que, pelo menos por um tempo, o deus complicado não pudesse mais se vangloriar.

Tyr, o deus da espada.
Ilustração de Carl Emil Doepler (1824-1905), 1882.

TYR

Tyr era filho de Odin e de Frigga. Deus original da guerra, Tyr é considerado o mais corajoso de todos os deuses. Tendo um forte interesse pela justiça e por tratados justos, ele é frequentemente considerado o deus da guerra e da paz e é ele quem decide quem vencerá as batalhas.

Tyr era frequentemente invocado pelas várias nações do Norte, que clamavam a ele, assim como a Odin, que lhes concedesse a vitória. A ele foi consagrado um dos dias da semana, o dia de Tiu, que no inglês moderno se tornou terça-feira. Os guerreiros costumavam adorá-lo sob o emblema de uma espada, seu atributo distintivo, e em sua homenagem realizavam grandes danças de espada. Às vezes, os participantes formavam duas longas filas, cruzavam as espadas, apontavam para cima e desafiavam os mais ousados a dar um salto veloz sobre elas. Outras vezes, os guerreiros uniam as pontas das espadas em forma de rosa ou roda e, quando essa figura estava completa, convidavam o chefe a ficar no centro, formado por lâminas de aço planas e brilhantes, e então o carregavam sobre ela através do acampamento em triunfo. A ponta da espada era considerada tão sagrada que se tornou costume registrar juramentos sobre ela.

Tyr era frequentemente descrito como o deus de uma só mão desde que seu membro foi mordido pelo lobo monstruoso Fenrir quando o deus tentou prender a criatura (e Fenrir foi, portanto, vinculado com sucesso até Ragnarok, por causa do sacrifício de Tyr). De acordo com a versão em prosa de Ragnarok, apesar deste episódio, Tyr será morto por Garm, o cão de guarda de Hela.

A HISTÓRIA DE FENRIS

Loki casou-se secretamente em Jotunheim com a hedionda gigante Angrboda (Angústia), que lhe deu três filhos monstruosos: o lobo Fenris; Hela, a deusa da morte; e Jormungand, uma terrível serpente. Ele manteve a existência desses monstros em segredo o quanto pôde, mas eles cresceram tão rapidamente que não puderam mais ficar confinados na caverna onde vieram à luz. Odin, de seu trono Hlidskialf, logo se deu conta da existência deles e também da inquietante rapidez com que aumentavam de tamanho. Temeroso de que, quando os monstros adquirissem mais força, invadissem Asgard e destruíssem os deuses, Odin decidiu livrar-se deles e, partindo para Jotunheim, jogou Hela nas profundezas de Niflheim, dizendo-lhe que ela poderia reinar sobre os nove mundos sombrios dos mortos. Depois lançou Jormungand ao mar, onde o monstro alcançou proporções tão imensas que, finalmente, circundou a terra e pôde morder o próprio rabo.

Não muito satisfeito com o fato de a serpente atingir dimensões tão assustadoras em seu novo elemento, Odin resolveu levar Fenris a Asgard, onde esperava, com um tratamento gentil, torná-lo dócil e tratável. Entretanto, todos os deuses se encolheram consternados quando viram o lobo e nenhum ousou se aproximar para lhe dar comida, exceto Tyr, que nada temia. Vendo que Fenris diariamente aumentava em tamanho, força, voracidade e ferocidade, os deuses reuniram-se em conselho para deliberar que destino dar a ele. Eles decidiram por unanimidade que, como profanariam seus hábitos de paz se o matassem, eles o manteriam preso, para que ele não os pudesse prejudicar.

Com esse objetivo em mente, pegaram uma corrente muito forte, chamada Læding, e propuseram que Fenris deixasse prender por brincadeira, como um teste de sua força. Confiante em sua capacidade de se libertar, Fenris pacientemente permitiu que eles o prendessem bem e, quando todos se afastaram, esticou-se com um esforço poderoso e facilmente estourou a corrente.

Escondendo seu desgosto, os deuses elogiaram sua força, mas criaram um grilhão muito mais forte, Droma. Após alguma persuasão, o lobo permitiu que prendessem Droma ao redor dele, como antes. Mais uma vez, um pequeno e breve esforço foi suficiente para romper as amarras. Por isso, é proverbial no Norte usar as expressões figurativas "soltar-se de Læding" e "escapar de Droma" sempre que grandes dificuldades precisam ser superadas.

Os deuses, percebendo que amarras comuns, por mais fortes que fossem, nunca prevaleceriam sobre a grande força do lobo Fenris, ordenaram a Skirnir, servo de Frey, descer até Svart-alfaheim e pedir aos anões que criassem uma amarra que nada pudesse romper.

Por meio das artes mágicas, os anões escuros fabricaram uma corda de seda fina de materiais impalpáveis, como o som dos passos de um gato, a barba de uma mulher, as raízes de uma montanha, os desejos do urso, a voz dos peixes e o cuspe de pássaros. Quando terminaram, deram a Skirnir, assegurando-lhe que nenhuma força poderia rompê-la e que, quanto mais fosse forçada, mais forte se tornaria.

Armado com essa corda, chamada Gleipnir, os deuses levaram Fenris para a ilha de Lyngvi, no meio do lago Amsvartnir, e novamente propuseram testar sua força. No entanto, embora Fenris estivesse ainda mais forte, desconfiou da corda que parecia tão fraca. Por isso, ele se recusou a deixar-se amarrar, a menos que um dos Æsir consentisse em colocar a mão em sua boca e deixá-la ali, como sinal de boa-fé e de que nenhuma arte mágica seria usada contra ele.

Os deuses ouviram a decisão com consternação e todos recuaram, exceto Tyr, que, vendo que os outros não se arriscariam a cumprir essa condição, deu um passo corajoso para a frente e enfiou a mão entre as mandíbulas do monstro. Os deuses, então, prenderam Gleipnir firmemente ao redor do pescoço e das patas de Fenris e, quando viram que os maiores esforços dele para libertar-se eram infrutíferos, gritaram e riram de alegria. Tyr, no entanto, não pôde compartilhar dessa alegria, pois o lobo, encontrando-se em cativeiro, mordeu a mão do deus no pulso, que desde então é conhecido como articulação do lobo.

Privado da mão direita, Tyr foi forçado a usar o braço mutilado como escudo e a empunhar a espada com a mão esquerda, mas tal era sua destreza que ele ainda conseguia matar seus inimigos como antes.

Os deuses, apesar do esforço do lobo, puxaram o fim do grilhão Gelgia pela rocha Gioll e o prenderam à rocha Thviti, que estava bem enterrada no chão. Abrindo bem as mandíbulas medonhas, Fenris soltava uivos tão terríveis que os deuses, para silenciá-lo, enfiaram uma espada em sua boca, o punho sobre a mandíbula e a ponta contra o palato. O sangue, então, começou a derramar em tais correntes, formando um grande rio, chamado Von. O lobo estava destinado a permanecer fortemente acorrentado até o último dia, quando romperia seus laços e ficaria livre para se vingar.

ULLER

Uller, o deus do inverno, era filho de Sif e enteado de Thor. Seu pai, que nunca é mencionado nas sagas do Norte, deve ter sido um dos temidos gigantes do gelo, pois Uller amava o frio e adorava viajar pelo país com suas botas de neve. Como deus da caça e do arco e flecha, ele é representado com uma aljava cheia de flechas e um enorme arco. E, como o teixo fornece a melhor madeira para a fabricação dessas armas, diz-se que essa é sua árvore favorita. Para ter um suprimento de madeira adequado sempre à mão, Uller passou a morar em Ydalir, o vale dos teixos, onde o clima sempre é muito úmido.

Como deus do inverno, Uller perdia apenas para Odin, cujo lugar ele usurpou durante sua ausência nos meses de inverno do ano. Durante esse período, ele exerceu total influência sobre Asgard e Midgard e até apossou-se de Frigga, esposa de Odin. Ao retornar, Odin o expulsou, forçando-o a refugiar-se no norte gelado ou no topo dos Alpes. Ali ele construiu uma casa de verão para a qual se retirou até que, sabendo que Odin havia partido mais uma vez, outra vez ousou aparecer nos vales.

Uller é especialmente notado por sua rapidez. Conta-se também que Uller conjurou runas mágicas sobre um pedaço de osso, transformando-o em um navio, que o carregava sobre a terra ou o mar.

Como os sapatos de neve têm a forma de um escudo e o gelo com o qual ele anualmente envolvia a Terra atuava como um escudo para protegê-la de danos durante o inverno, Uller recebeu o título de deus do escudo e era especialmente invocado por todas as pessoas que iam participar de um duelo ou de uma luta desesperada.

Uller se casou com Skadi, a esposa divorciada de Niord, a personificação feminina do inverno e do frio, e seus gostos eram tão parecidos que eles viveram em perfeita harmonia.

ADORAÇÃO A ULLER

Numerosos templos foram dedicados a Uller, no Norte, e, em seus altares, assim como nos de todos os outros deuses, havia um anel sagrado sobre o qual os juramentos eram feitos. Dizia-se que esse anel tinha o poder de encolher tão violentamente a ponto de cortar o dedo de qualquer pessoa que, premeditadamente, cometesse perjúrio. As pessoas visitavam o santuário de Uller, especialmente durante os meses de novembro e dezembro, para pedir-lhe que enviasse uma espessa cobertura de neve sobre suas terras, como garantia de uma boa colheita; e, como se dizia que ele enviava os gloriosos lampejos da aurora boreal, que iluminam o céu do norte durante sua longa noite, ele era considerado quase semelhante a Balder, a personificação da luz.

Uller era amigo especial de Balder, principalmente porque também passava parte do ano nas profundezas sombrias de Niflheim, com Hela, a deusa da morte. Uller sofria um banimento anual durante os meses de verão, quando era forçado a renunciar ao seu domínio sobre a Terra em favor de Odin, o deus do verão, e lá Balder juntava-se a ele no meio do verão, quando desaparecia de Asgard, pois então os dias começavam a ficar mais curtos, e o poder da luz (de Balder) gradualmente cedia ao poder sempre crescente da escuridão (de Hodur).

VALI

Billing, rei dos rutenos, ficou profundamente consternado quando soube que uma grande força estava prestes a invadir seu reino, pois estava velho demais para lutar. Sua única filha, Rinda, embora estivesse em idade de se casar, recusava-se obstinadamente a escolher um marido entre seus muitos pretendentes e, assim, dar a seu pai a ajuda de que ele tanto precisava.

Enquanto Billing refletia desconsolado em seu salão, um estranho entrou de repente no palácio. Olhando para cima, o rei viu um homem de meia-idade envolto em uma capa larga e com um chapéu de abas largas puxado sobre a testa para esconder o fato de que tinha apenas um olho. O estrangeiro indagou, com cortesia, a causa daquela evidente depressão. Como havia algo no forasteiro que inspirava confiança, o rei contou tudo e, ao final da conversa, o forasteiro se ofereceu para comandar o exército dos rutenos contra o inimigo.

A oferta foi aceita com alegria, e não demorou muito até que Odin — pois era ele — conquistasse um sinal de vitória. Retornando triunfante, pediu permissão para cortejar a filha do rei. Apesar da idade avançada do pretendente, Billing esperava que sua filha tivesse ouvidos favoráveis a um cortejador que aparentava ser muito distinto, e imediatamente expressou seu consentimento. Então Odin, ainda desconhecido, apresentou-se diante da princesa, mas ela rejeitou a proposta dele com desdém e deu um tapa nos ouvidos dele quando ele tentou beijá-la.

Forçado a se retirar, Odin, no entanto, não renunciou ao seu propósito de fazer de Rinda sua esposa, pois ele sabia, graças à profecia de Rossthiof, que ninguém, a não ser ela, poderia criar o vingador de seu filho assassinado. Seu próximo passo, portanto, foi assumir a forma de um ferreiro, e com esse disfarce voltou ao palácio de Billing, onde confeccionou ornamentos caros de prata e ouro. Ele fez tantas peças preciosas e com tanta maestria que o rei concordou com alegria quando ele perguntou se poderia se apresentar à princesa. No entanto, o ferreiro Rosterus, como se anunciou, foi dispensado por Rinda tão sem cerimônia quanto o general de sucesso fora; e, embora seu ouvido mais uma vez formigasse com a força do golpe dela, ele estava mais determinado do que nunca a fazê-la sua esposa.

Na tentativa seguinte, Odin se apresentou diante da donzela caprichosa disfarçado de guerreiro, pois pensou que um jovem soldado poderia, com um pouco de sorte, tocar o coração da donzela; mas, quando tentou beijá-la, ela o empurrou tão de repente que ele tropeçou e caiu sobre um joelho. Diante desse insulto, Odin ficou tão furioso que puxou sua vara mágica do peito, apontou-a para Rinda e pronunciou um feitiço tão terrível que ela caiu nos braços de suas ajudantes rígida e aparentemente sem vida.

Quando a princesa recobrou os sentidos, seu pretendente havia desaparecido, mas o rei descobriu com grande consternação que ela havia perdido completamente o juízo e estava em profunda melancolia. Em vão todos os médicos foram convocados, e todos tentaram curá-la, mas a donzela permanecia passiva e triste. O pai já havia perdido a esperança quando apareceu uma velha, que se anunciou como Vecha e se ofereceu para curar a princesa. A velha, que era Odin disfarçado, primeiro receitou um escalda-pés para a paciente, mas, como isso não pareceu ter um efeito muito acentuado, ela propôs tentar um tratamento mais drástico. Para isso, declarou Vecha, a paciente deveria ser confiada a seus cuidados exclusivos e deveria estar amarrada com segurança para que não oferecesse a menor resistência. Billing, ansioso para salvar sua filha, estava disposto a concordar com qualquer coisa. E assim, tendo conquistado todo o poder sobre Rinda, Odin a obrigou a se casar com ele, libertando-a dos grilhões e feitiços somente depois que ela prometeu ser sua esposa.

A profecia de Rossthiof estava agora cumprida, pois Rinda deu à luz um filho chamado Vali, uma personificação dos dias prolongados, que cresceu com tanta rapidez que, no decorrer de um único dia, alcançou sua plena estatura. O jovem deus correu então para Asgard, com arco e flecha na mão, para vingar a morte de Balder contra seu assassino, Hodur, o deus cego das trevas.

Nesse mito, Rinda, uma personificação da crosta congelada da Terra, resiste ao calor do cortejo do sol, Odin, que em vão aponta que a primavera é o momento para explorações bélicas e oferece os adornos do verão dourado. Ela só cede quando, depois de um banho (o banho de pés), o degelo começa. Conquistada então pelo irresistível poder do sol, a Terra cede ao seu abraço, é libertada do feitiço do gelo que a deixou dura e fria e traz à luz Vali, o camponês, que sai de sua cabana escura quando os dias agradáveis chegam. O assassinato de Hodur por Vali é, portanto, emblemático do "surgimento de nova luz após as trevas invernais".

Vali, classificado como uma das doze divindades que ocupavam assentos no grande salão de Glads-heim, compartilhou com seu pai a habitação chamada Valaskialf e estava destinado, mesmo antes do nascimento, a sobreviver à última batalha e ao crepúsculo dos deuses e a reinar com Vidar sobre a Terra regenerada.

Na imagem a seguir: No ar, entre nuvens, e sobre um cavalo branco, uma valquíria cavalga com o cadáver de um homem. Ladeado por dois corvos, outras duas valquírias cavalgam atrás dela, uma erguendo uma lança.
Pintura de Emil Doepler (1855-1922), 1905.

D.
JEN

VALKÍRIAS

AS DONZELAS DAS BATALHAS

As Valkírias eram donzelas que tinham o privilégio de permanecer imortais e invulneráveis, desde que obedecessem incondicionalmente ao deus e permanecessem virgens. Eram retratadas como mulheres jovens e bonitas que usavam capacetes de prata ou ouro e tinham lanças e escudos brilhantes que corajosamente brandiam nas batalhas, montadas em seus cavalos brancos. Esses cavalos galopavam através dos reinos do ar e sobre a ponte tremulante de Bifrost, carregando não apenas as belas amazonas, mas também os heróis mortos em combate que fossem dignos de provar as alegrias de Valhalla e corajosos o suficiente para ajudar os deuses na grande batalha de Ragnarok.

Os deveres das Valkírias não se limitavam aos campos de batalha na Terra. Elas também cavalgavam sobre o mar, recolhendo os *vikings* moribundos de seus navios-dragão afundados. Às vezes, elas ficavam na costa acenando para eles, num aviso infalível de que a luta que se aproximava seria a última. Dizia-se que Freya e Skuld as lideravam na batalha.

VOLUND E AS VALKÍRIAS

As Valkírias deviam fazer voos frequentes para a Terra usando plumas de cisne, que tiravam quando chegavam a um riacho isolado para poderem banhar-se. Qualquer mortal que as surpreendesse assim e se apoderasse de suas plumas poderia impedi-las de deixar a Terra e até mesmo forçar as orgulhosas donzelas a acasalar se essa fosse a vontade dele.

Conta-se que três das Valkírias, Olrun, Alvit e Svanhvit, estavam brincando nas águas um dia quando, de repente, os três irmãos Egil, Slagfinn e Volund, o ferreiro, as encontraram e, tomando delas as plumagens de cisne, os jovens as forçaram a permanecer na Terra e a se tornarem suas esposas. As Valkírias permaneceram com seus maridos por nove anos, mas, ao final desse período, tendo recuperado suas plumagens, conseguiram escapar.

Os irmãos sentiram muito a perda de suas esposas, e dois deles, Egil e Slagfinn, calçando seus sapatos de neve, saíram em busca de suas amadas e desapareceram nas regiões frias e nebulosas do norte. O terceiro irmão, Volund, no entanto, permaneceu em casa, pois sabia que as buscas seriam inúteis. Ele encontrou consolo na contemplação de um anel que Alvit lhe dera como símbolo de seu amor e se entregou à constante esperança de que ela retornasse. Como era um ferreiro muito inteligente e capaz de fabricar os mais delicados ornamentos de prata e ouro, além de armas mágicas que nenhum golpe poderia quebrar, ele passava o tempo livre fazendo anéis e decidiu fazer setecentos anéis exatamente iguais ao que a esposa lhe dera. Quando terminava de fazer um anel, ele os unia. Mas uma noite, ao voltar para casa da caçada, descobriu que alguém havia levado um anel, deixando os outros para trás, e suas esperanças receberam um novo alento, pois ele se convenceu de que sua esposa havia estado lá e de que logo voltaria para ele.

Naquela mesma noite, porém, ele foi surpreendido durante o sono e feito prisioneiro por Nidud, rei da Suécia, que tomou posse de sua espada, uma arma com poderes mágicos que ele reservava para uso próprio, e do anel de amor feito de ouro puro do Reno, que mais tarde o rei deu à sua única filha, Bodvild. Quanto ao infeliz Volund, ele foi levado cativo para uma ilha vizinha, onde, depois de ser amarrado para não escapar, o rei deu a ele a incessante tarefa de forjar armas e ornamentos para seu uso. O rei também obrigou Volund a construir um complexo labirinto, e até hoje um labirinto na Islândia é conhecido como "casa de Volund".

A raiva e o desespero de Volund aumentavam a cada novo insulto que Nidud lhe fazia, e noite e dia ele pensava em como poderia vingar-se. Ele também não se esqueceu de providenciar sua fuga e, durante as pausas de seu trabalho, construiu um par de asas semelhantes às que sua esposa usava como Valkíria que pretendia usar assim que sua vingança fosse realizada. Um dia, o rei veio visitar seu cativo e trouxe a espada roubada para que ele consertasse. No entanto, Volund, inteligente, substituiu-a por outra arma, tão parecida com a espada mágica que enganou o rei quando este voltou para buscá-la. Poucos dias depois, Volund atraiu os filhos do rei para sua ferraria e os matou. Depois, moldou vasos de beber com os crânios deles e joias com seus olhos e dentes e os presenteou aos pais e à irmã.

A família real não suspeitou de onde vinham os presentes, portanto estes foram aceitos com alegria. Quanto aos pobres jovens, a família acreditou que eles haviam entrado no mar e se afogado.

Algum tempo depois, Bodvild, desejando consertar seu anel, também visitou a cabana do ferreiro, onde, enquanto esperava, ingeriu sem saber uma droga mágica que a fez dormir e a deixou à mercê de Volund. Depois de seu último ato de vingança realizado, Volund imediatamente vestiu as asas que havia preparado para esse dia e, segurando a espada e o anel, subiu lentamente no ar. Voou até o palácio, onde pousou em um local fora do alcance do rei, e proclamou seus crimes a Nidud. O rei, fora de si e enraivecido, convocou Egil, irmão de Volund, que também havia caído em seu poder, e ordenou que ele usasse sua maravilhosa habilidade como arqueiro para derrubar o pássaro insolente. Obedecendo a um sinal de Volund, Egil apontou para uma protuberância sob sua asa, onde uma bexiga cheia de sangue dos jovens príncipes estava escondida, e o ferreiro voou triunfante para longe sem se ferir, declarando que Odin daria sua espada a Sigmund — uma previsão que foi devidamente cumprida.

Volund foi, então, a Alfheim, onde encontrou sua amada esposa e viveu feliz novamente com ela até o crepúsculo dos deuses.

VIDAR

Conta-se que Odin um dia amou a bela giganta Grida, que morava em uma caverna no deserto, e que a cortejou e persuadiu a se tornar sua esposa. O resultado dessa união entre Odin e Grida foi Vidar, um filho tão forte quanto taciturno, a quem os antigos consideravam uma personificação da floresta primordial ou das forças imperecíveis da Natureza.

Assim como, por meio de Heimdall, os deuses estavam intimamente ligados ao mar, eles também estavam ligados por laços estreitos com as florestas e a Natureza em geral por meio de Vidar, conhecido como "o silencioso", que estava destinado a sobreviver à sua destruição e governar uma terra regenerada.

Esse deus morava em Landvidi, um palácio decorado com arbustos verdes e flores frescas, situado no meio de uma impenetrável floresta primordial, onde reinavam o profundo silêncio e a solidão que ele amava. Essa antiga concepção escandinava do silencioso Vidar é de fato muito grandiosa e poética e foi inspirada no cenário acidentado do Norte.

Vidar é descrito como um ser alto, bem feito e bonito, que usava uma armadura e empunhava uma espada de lâmina larga e calçava com um grande sapato de ferro ou couro. De acordo com alguns mitologistas, ele recebera esse calçado de sua mãe, Grida, que, sabendo que ele seria chamado para lutar contra o fogo no último dia, o fez como uma proteção contra o elemento ardente. Outras autoridades afirmam que esse sapato era feito de restos de couro que sapateiros do norte haviam dado ou jogado fora. Como era essencial que o sapato fosse grande e forte o suficiente para resistir aos dentes afiados do lobo Fenris no último dia, era uma questão de observância religiosa entre os sapateiros do Norte doar o máximo de sobras e pontas de couro possível.

O sapato que usava seria sua defesa contra o lobo Fenris, que, depois de destruir Odin, dirigiu sua ira contra Vidar e abriu as terríveis mandíbulas para devorá-lo. Entretanto, Vidar apoiou o pé assim protegido contra a mandíbula inferior do monstro e, agarrando a parte superior, lutou com ele até parti-la em duas.

A PROFECIA DA NORNA

Quando Vidar se juntou a seus colegas em Valhalla, eles o receberam alegremente, pois sabiam que sua grande força os serviria bem em seus momentos de necessidade. Depois que os deuses serviram a ele o hidromel dourado, Odin mandou que ele fosse até a fonte Urdar, onde as Nornas estavam sempre ocupadas tecendo sua teia. Questionadas por Odin sobre seu futuro e o destino de Vidar, as três irmãs responderam de forma oracular, cada uma pronunciando uma frase:

"Começou cedo."
"Girou mais e mais."
"Um dia terminou."

A essas frases a mãe delas, Wyrd, a deusa primitiva do destino, acrescentou: "Com alegria mais uma vez conquistou". Essas respostas misteriosas teriam permanecido totalmente ininteligíveis se a deusa não tivesse explicado que o tempo progride, que tudo deve mudar, mas que, mesmo que o pai caísse na última batalha, seu filho Vidar seria seu vingador e viveria para governar um mundo regenerado, depois de ter conquistado todos os seus inimigos.

Enquanto Wyrd falava, as folhas da árvore do mundo tremularam como se estivessem sendo agitadas por uma brisa, a águia no galho mais alto batia suas asas, e a serpente Nidhug suspendeu por um momento seu trabalho de destruição nas raízes da árvore. Grida, juntando-se ao pai e ao filho, regozijou-se com Odin quando soube que o filho deles estava destinado a sobreviver aos deuses mais velhos e a governar o novo céu e terra.

Vidar, no entanto, não pronunciou uma palavra e lentamente retornou ao palácio Landvidi, no coração da floresta primordial, e ali, sentado em seu trono, ponderou longamente sobre a eternidade, o futuro e o infinito.

Vidar não era apenas uma personificação da capacidade de não sucumbir da Natureza, mas também um símbolo de ressurreição e renovação, exibindo a eterna verdade de que novos brotos e flores surgirão para substituir aqueles que pereceram.

CRIATURAS FANTÁSTICAS

Pintura *Audumbla* de Nicolai Abildgaard (1743-1809)

GIGANTES E OGROS

As raças do norte imaginavam que os gigantes foram as primeiras criaturas que ganharam vida entre os *icebergs* que enchiam o vasto abismo de Ginnunga--gap. Esses gigantes foram, desde o início, oponentes e rivais dos deuses, e, como os últimos eram personificações de tudo que é bom e amável, os primeiros representavam tudo que era feio e mau.

Ymir, o primeiro dos gigantes, é a personificação do caos antes da criação, também simbolizado pelo vazio de Ginnunga-gap. Tanto Ymir quanto o abismo significam o potencial ilimitado de ser que ainda não se transformou nas "coisas" que encontramos no nosso mundo. Os gigantes desempenham, na mitologia nórdica, o papel das forças do antigo caos, da matéria crua que acaba se transformando em algo pelos deuses.

Ymir, por exemplo, é capaz de se reproduzir assexuadamente e acaba sendo usado como matéria-prima para a construção do mundo. Seu assassinato, contudo, não é visto como um pecado, como no mito Bíblico de Caim e Abel, e sim como um sacrifício que deveria ser feito para a criação do universo.

Para os nórdicos, o mundo era um campo de batalha entre deuses e gigantes, que tinham poderes que poderiam ser equiparados. Os deuses eram vistos como pilares, forças vitais que mantinham o cosmo unido, mas, ao mesmo tempo, este havia sido criado por meio do corpo de um gigante, o que fazia com que estes fossem, também, parte intrínseca do universo. O homem ficaria no meio dessa batalha entre deuses e gigantes, dividido entre a ordem, o bem e o que é sagrado de um lado e o caos, o mal e o que é profano de outro. Essa tensão entre os dois lados seria uma característica do mundo desde seus primórdios e só seria interrompida no Ragnarok, quando o mundo fosse destruído.

Quando Ymir caiu sem vida no gelo, morto pelos deuses, sua descendência se afogou em seu sangue. Apenas um casal, Bergelmir e sua esposa, conseguiram fugir para Jotunheim, onde passaram a morar e se tornaram pais de toda a raça gigante. No norte, os gigantes eram chamados por vários nomes, cada um com um significado particular. Jotun, por exemplo, significava "o grande comedor", pois os gigantes eram conhecidos por seu enorme apetite e pelo tamanho incomum. Eles gostavam tanto de beber quanto de comer, por isso também eram chamados de Thurses, uma palavra que alguns escritores afirmam ter o mesmo significado de sede. Como os gigantes eram antagônicos aos deuses, estes sempre se esforçavam para mantê-los em Jotunheim, que estava situado nas regiões frias do polo. Os gigantes foram quase sempre derrotados em seus encontros com os deuses, pois eram pesados e perspicazes e nada tinham além de armas de pedra para se opor ao bronze dos Æsir. Apesar dessa desigualdade, porém, eles às vezes eram bastante invejados pelos deuses, pois estavam completamente familiarizados com todo o conhecimento relacionado ao passado. Até Odin sentia inveja desse atributo e, assim que conseguiu beber da fonte de Mímir, apressou-se para Jotunheim, para confrontar Vafthrudnir, o mais instruído da raça gigante. No entanto, ele poderia nunca ter conseguido derrotar seu antagonista nesse estranho encontro se não tivesse parado de perguntar sobre o passado e tivesse proposto uma pergunta relacionada ao futuro.

ORIGEM DAS MONTANHAS

De acordo com as lendas, a superfície irregular da Terra se devia aos gigantes, que danificaram sua lisura ao pisar nela enquanto ela ainda era macia e recém-criada. Os rios, por sua vez, foram formados a partir das copiosas lágrimas derramadas pelas gigantas ao ver os vales feitos pelas enormes pegadas de seus maridos. Em razão dessa crença, as pessoas imaginavam que os gigantes, que personificavam as montanhas, eram enormes criaturas rudes que só podiam se mover na escuridão ou no nevoeiro e eram petrificadas assim que os primeiros raios de luz do sol atravessavam a escuridão ou se espalhavam entre as nuvens.

Até hoje, os islandeses designam seus picos mais altos com o nome de Jokul, uma modificação da palavra Jotun.

Como os gigantes eram também personificações da neve, do gelo, do frio, da pedra e do fogo subterrâneo, dizem que eles descendiam de Ymir. De acordo com essa versão do mito, Ymir, ou Fornjotnr, teve três filhos: Hler, o mar; Kari, o ar; e Loki, o fogo. Essas três divindades, os primeiros deuses, formavam a trindade mais antiga, e seus respectivos descendentes foram os gigantes do mar Mímir, Gymir e Grendel, os gigantes da tempestade Thiassi, Thrym e Beli, e os gigantes do fogo e da morte, como o lobo Fenris e Hela.

Muitas histórias já foram contadas sobre os gigantes mais importantes. Eles reaparecem em muitos dos mitos e contos de fadas posteriores e manifestam, após a introdução do cristianismo, uma aversão peculiar ao som dos sinos das igrejas e ao canto de monges e monjas.

O GIGANTE APAIXONADO

Os escandinavos relatam, a esse respeito, que, nos dias de Olaf, o santo, um gigante chamado Senjemand morava na ilha de Senjen e ficava muito irritado porque uma freira na ilha de Grypto cantava diariamente seu hino matinal. Este gigante se apaixonou por uma bela donzela chamada Juterna-jesta, e demorou muito para que ele encontrasse coragem para se declarar. Quando, finalmente, fez seu pedido, a bela donzela o rejeitou com desprezo, declarando que ele era velho e feio demais para o gosto dela.

Em sua raiva por ter sido recusado, o gigante jurou vingança e logo depois atirou uma grande flecha de lasca de pedra de seu arco na donzela, que morava a cem quilômetros de distância. Outro amante, Torge, também um gigante, vendo que ela estava em perigo e desejando protegê-la, jogou o chapéu na flecha em alta velocidade. Esse chapéu tinha trezentos metros de altura e a mesma largura; no entanto, a flecha perfurou o chapéu e caiu a poucos metros de seu alvo. Senjemand, vendo que havia fracassado e temendo a ira de Torge, montou em seu cavalo e se preparou para partir o mais rápido possível; mas o sol, já nascendo logo acima do horizonte, transformou-o em pedra, junto com a flecha e o chapéu de Torge, e a enorme pilha ficou conhecida como montanha Torghatten. As pessoas ainda apontam para um obelisco que dizem ser a flecha de pedra, para um buraco na montanha, que dizem ser a abertura feita pela flecha no chapéu, e para o cavaleiro na ilha de Senjen, aparentemente montando um cavalo colossal e puxando as dobras de sua larga capa de cavalaria sobre ele. Quanto à freira cujo canto havia perturbado Senjemand, ela também ficou petrificada e nunca mais incomodou alguém com seu canto.

BEOWULF E GRENDEL

O esplêndido Palácio Heorot ("The Deer"), localizado na ilha da Zelândia, na Dinamarca, era o centro de grandes festas noturnas, organizadas pelo rei Hrothgar, seus servos e os guerreiros. A agitação era tanta que o temível Grendel, um ogro que vivia nos pântanos, acordou e atacou furiosamente o rei e seus guerreiros, matando e devorando a todos.

Essa maldição afligiu a corte de Heorot todas as noites, por doze anos, e a grave situação do rei se espalhou pelas terras nórdicas até chegar aos ouvidos de Beowulf[8], um herói gauta[9], que decidiu acabar com esse problema. Ousado e determinado, Beowulf reuniu quatorze guerreiros e rapidamente partiu para Heorot. No entanto, não foi muito bem recebido, em razão de sua aparição estranha e repentina.

8. Beowulf é uma das lendas mais conhecidas da literatura anglo-saxã, principalmente em razão do poema homônimo, do século XI, que influenciou grandes obras, incluindo *O Senhor dos Anéis*, de J.R.R. Tolkien.

9. Os gautas eram uma tribo de Gotlândia, região histórica da Suécia.

Apesar disso, e vendo o rei que não havia muitas alternativas, ele ofereceu um banquete a Beowulf e saiu da sala deixando-a sob a guarda do gauta.

Como esperado, naquela noite Grendel apareceu e, com sua ferocidade, derrubou as portas sólidas do salão e devorou um dos guerreiros. Isso despertou a ira de Beowulf, que foi em auxílio da guarda, travando uma luta corpo a corpo, sem armas, com o monstro, que só conseguiu se libertar do agressor perdendo um dos braços e fugindo gravemente ferido para sua caverna. Aparentemente, a vitória havia sido alcançada.

A felicidade diante desse feito levou o rei a presentear Beowulf com um colar e a celebrar uma festa em sua homenagem. Enquanto isso acontecia, a protetora de Grendel, ainda mais furiosa do que seu filho poderia algum dia chegar a estar, apareceu para vingá-lo. Assim, ela matou Esker, homem de Hrothgar, e saiu, levando o braço que seu menino havia perdido.

Sem perder tempo, Beowulf seguiu a trilha da criatura junto com seus guerreiros e, depois de nadar quase um dia nas profundezas de um lago repleto de bestas sobrenaturais, encontrou a mãe de Grendel. Imerso em uma batalha cruel, o herói ficou gravemente ferido, mas, usando uma espada gigantesca, conseguiu acabar com a ogra cortando-lhe a cabeça.

Então a vitória foi definitiva, e as portas para uma vida tranquila para o rei Hrothgar e seus súditos foram finalmente abertas. Considerando que sua missão havia sido cumprida, Beowulf regressou à sua terra natal com toda a riqueza que lhe foi concedida.

ANÕES

Os elfos negros, anões ou Svart-alfar foram criados das larvas na carne do gigante morto Ymir. Os deuses, percebendo essas criaturas minúsculas e disformes que se arrastavam para dentro e para fora da carne, deram-lhes forma e características, e eles tornaram-se conhecidos como anões escuros, por causa de sua pele morena. Esses pequenos seres eram tão rústicos, com sua pele escura, olhos verdes, cabeças grandes, pernas curtas e pés de galinha, que foram obrigados a se esconder no subsolo, recebendo a ordem de nunca se mostrar durante o dia ou seriam transformados em pedra. Embora menos poderosos que os deuses, eles eram muito mais inteligentes que os homens, e, como seu conhecimento era ilimitado e se estendia até mesmo ao futuro, deuses e homens eram igualmente ansiosos para questioná-los.

Os anões também eram conhecidos como *trolls, kobolds, goblins*, duendes, *pucks* ou povo de Huldra, de acordo com o país em que moravam.

Esses pequenos seres podiam transportar-se com uma celeridade maravilhosa de um lugar para outro e adoravam esconder-se atrás das rochas, quando repetiam maliciosamente as últimas palavras das conversas ouvidas de tais esconderijos. Por causa desse truque bem conhecido, os ecos foram chamados de conversa de anões, e as pessoas imaginavam que a razão pela qual os criadores de tais sons nunca eram vistos era porque cada anão era o orgulhoso possuidor de uma pequena touca vermelha que tornava o usuário invisível. Esse boné era chamado Tarnkappe, e sem ele os anões não ousavam aparecer acima da superfície da Terra após o nascer do sol, por medo de serem petrificados. Ao usá-lo, eles estavam a salvo desse perigo.

A LENDA DE KALLUNDBORG

Helva, filha do Senhor de Nesvek, era amada por Esbern Snare, cujo pedido, no entanto, foi rejeitado pelo orgulhoso pai com essas palavras desdenhosas: "Quando você construir em Kallundborg uma igreja imponente, eu lhe darei Helva como esposa".

Acontece que Esbern, embora de uma baixa condição social, era tão orgulhoso quanto o senhor e decidiu que, acontecesse o que acontecesse, encontraria uma maneira de conquistar sua cobiçada noiva. Assim, ele foi procurar um *troll* na colina Ullshoi e fez com ele um trato, por meio do qual o *troll* construiria uma bela igreja, e Esbern deveria adivinhar o nome do construtor antes que ele a terminasse ou perderia seus olhos e seu coração.

Noite e dia o troll trabalhava e, quanto mais o prédio tomava forma, mais triste ficava Esbern Snare. Ele tentava escutar escondido nas fendas da colina à noite; via durante o dia e implorava aos elfos para ajudá-lo. Tudo em vão. Ele não via nem ouvia algo que pudesse sugerir o nome do construtor.

Enquanto isso, os rumores cresciam, e a bela Helva, ouvindo sobre o trato malvado, orava pela alma do infeliz.

O tempo passou, até que um dia faltava apenas um pilar para a igreja ficar pronta. Tomado pelo desespero, Esbern afundou exausto em um banco, de onde ouviu o *troll* martelar a última pedra na pedreira subterrânea. "Como sou tolo", disse ele, amargamente, "construí minha própria tumba".

Naquele momento, ele ouviu um passo leve e, olhando para cima, viu sua amada. "Gostaria de morrer em seu lugar", disse ela em meio às lágrimas, e com isso Esbern confessou que, por amor a ela, ele colocara em perigo os olhos, o coração e a alma.

Então, rápido como o *troll* martelava no subsolo, Helva rezava ao lado de seu amado, e as orações da donzela prevaleceram sobre o feitiço do *troll*, pois, de repente, Esbern ouviu o som de uma esposa *troll* cantando para seu bebê, pedindo que se consolasse, porque no dia seguinte o *Papai Fine* retornaria trazendo os olhos e o coração de um mortal.

Dando sua vítima por certa, o *troll* correu para Kallundborg com a última pedra. "Tarde demais, Fine!", disse Esbern, e, com a palavra, o *troll* desapareceu com sua pedra. Diz-se que os camponeses ouviram à noite os soluços de uma mulher no subsolo e a voz alta do *troll* que a culpava.

A MAGIA DOS ANÕES

Os anões, assim como os elfos, eram governados por um rei que, em vários países do norte da Europa, era conhecido como Andvari, Alberich, Elbegast, Gondemar, Laurin ou Oberon. Ele morava em um magnífico palácio subterrâneo, cravejado com as gemas que seus súditos haviam extraído do seio da Terra e, além de riquezas incontáveis e do Tarnkappe, possuía um anel mágico, uma espada invencível e um cinturão de força. Sob seu comando, os homenzinhos, que eram ferreiros muito espertos, fabricavam joias e armas maravilhosas, que o governante presenteava aos seus mortais favoritos.

Já vimos como os anões modelaram os cabelos dourados de Sif, o navio Skidbladnir, a ponta da lança de Odin, Gungnir, o anel Draupnir, o javali de cerdas douradas Gullin-bursti, o martelo Mjolnir e o colar de ouro de Freya Brisinga-men. Também é dito que eles fizeram a cinta mágica que Spenser[10] descreve em seu poema épico *The Faerie Queene*[11] — uma cinta que teria o poder de revelar se seu usuário era virtuoso ou hipócrita.

Os anões também fabricaram a mítica espada Tyrfing, que podia cortar ferro e pedra, e que eles deram a Angantyr. Essa espada, como a de Frey, lutava por conta própria e não podia ser embainhada depois de retirada, até que provasse sangue. Angantyr tinha tanto orgulho dessa arma que a levou com

10. Edmund Spenser (1552-1599), poeta inglês.

11. Em português, "A Rainha das Fadas".

ele para o túmulo. No entanto, Hervor[12], filha dele, visitou seu túmulo à meia-noite, recitou feitiços mágicos e o forçou a levantar-se de seu túmulo para dar a ela a preciosa lâmina. Ela a empunhou com bravura e, por fim, a espada acabou se tornando propriedade de outro dos heróis do norte.

Outra arma famosa que, segundo a tradição, foi forjada pelos anões nas terras orientais foi a espada Angurvadel, que Frithiof recebeu de seus pais como parte de sua herança. Seu punho era de ouro martelado, e a lâmina estava inscrita com runas que eram desbotadas até serem brandidas na guerra, quando então flamejavam em vermelho incandescente.

A PASSAGEM DOS ANÕES

Os anões eram geralmente gentis e prestativos; às vezes, amassavam pão, farinha de trigo, fabricavam cerveja, realizavam inúmeras tarefas domésticas, colhiam e debulhavam os grãos para os agricultores. Se maltratados, no entanto, ou expostos ao ridículo, essas pequenas criaturas abandonariam a casa e nunca mais voltariam. Quando os deuses antigos deixaram de ser adorados nas Terras do Norte, os anões se retiraram totalmente do país, e um barqueiro contou que, certa noite, havia sido contratado por uma pessoa misteriosa para atravessar o rio de barco várias vezes, e que a cada viagem sua embarcação estava tão carregada de passageiros invisíveis que quase afundou. Quando o trabalho da noite terminou, ele recebeu uma rica recompensa, e seu empregador informou que ele carregara os anões pelo rio, pois eles estavam deixando o país para sempre, em consequência da incredulidade das pessoas.

12. Esses personagens aparecem na lendária saga islandesa "Saga de Hervor".

ELFOS

Além dos anões, havia outra classe numerosa de criaturas minúsculas chamadas Liosalfar, elfos brancos ou elfos de luz, que habitavam os reinos do ar entre o céu e a terra e eram gentilmente governados pelo deus Frey de seu palácio em Alfheim. Esses seres adoráveis e beneficentes, tão puros e inocentes, eram tão pequenos que podiam passear despercebidos enquanto cuidavam das flores, dos pássaros e das borboletas. E, como gostavam apaixonadamente de dançar, muitas vezes deslizavam para a terra em um raio de luar para dançar na grama. De mãos dadas, eles dançavam em círculos, criando, assim, os "anéis de fadas", que podiam ser identificados pelo verde mais profundo e pela maior vivacidade da grama que seus pequenos pés pressionaram.

Se algum mortal ficasse no meio de um desses anéis de fadas, ele poderia, de acordo com a crença popular da Inglaterra, ver as fadas e desfrutar de seu favor. No entanto, os escandinavos juravam que quem tivesse essa infelicidade deveria morrer. Para ilustrar essa superstição, conta-se uma história de como Sir Olaf, cavalgando para o seu casamento, foi atraído pelas fadas para o centro do anel. No dia seguinte, em vez de um casamento feliz, seus amigos testemunharam um funeral triplo, pois a mãe e a noiva dele também morreram quando viram seu cadáver sem vida.

Esses elfos, que na Inglaterra eram chamados de fadas ou silfos, também eram músicos entusiásticos e deliciavam-se especialmente com uma certa ária conhecida como dança dos elfos, tão irresistível que ninguém que a ouvia conseguia abster-se de dançar. Se, ouvindo a ária, um mortal se arriscasse a reproduzi-la, subitamente ele se veria incapaz de parar e seria forçado a continuar tocando até morrer de exaustão, a menos que fosse hábil o suficiente para tocar a música de trás para a frente, ou que alguma alma caridosa cortasse as cordas do violino. Seus ouvintes, que eram forçados a dançar enquanto a música continuasse, só podiam parar quando ela parasse.

Na Escandinávia, os elfos, claros e escuros, eram adorados como divindades domésticas, e suas imagens estavam gravadas nos batentes das portas. Os nórdicos, que foram expulsos de casa pela tirania de Harald Harfager[13], em 874, levaram consigo os batentes das portas esculpidos em seus navios. Os exilados demonstravam sua confiança em seus deuses jogando essas imagens de madeira ao mar quando se aproximavam das costas da Islândia e se estabeleciam onde as ondas levassem os postes, mesmo que o local não parecesse o mais desejável. Assim, eles carregavam consigo a religião, a poesia e as leis de sua raça.

13. Harald Harfager, também conhecido como Harald Cabelo Belo, foi o primeiro rei da Noruega e governou de 872 a 933.

KRAKEN

As antigas crônicas marinhas das histórias que compõem a mitologia escandinava falam desse monstro marinho gigante e misterioso que assustava os navios da época. O Kraken seria uma espécie de lula ou polvo gigante e tinha cem braços e o tamanho de uma ilha. Acreditava-se que habitava as águas profundas do Mar da Noruega, que separava a Islândia das terras escandinavas.

Seus tentáculos grandes e longos podiam facilmente agarrar os mastros dos navios e, assim, ser capazes de levá-los ao fundo do mar. Dessa terrível ação poderiam advir dois resultados: no primeiro, a tripulação se afogaria junto com o navio; no segundo, seria devorada sem piedade pelo Kraken.

As primeiras notícias que temos desse terrível animal datam do século XII e são da Noruega, que nos falam de uma criatura gigante do tamanho de uma ilha.

No entanto, o que mais assusta nesse terrível monstro marinho é que, de todos os monstros de que temos conhecimento, este é o que tem mais probabilidade de realmente existir. Atualmente, existem evidências suficientes da existência de um tipo de lula gigante, que varia de 15 a 20 metros de comprimento e que habitaria as profundezas dos mares.

No entanto — e felizmente para os marinheiros —, o Kraken nem sempre é visto, embora alguns digam que o veem em alto-mar. Dizem que, olhando o fundo do mar a partir da superfície, é possível ver grandes olhos vermelhos.

OUTRAS DIVINDADES DO MAR

Além dessas principais divindades do mar, as nações do Norte acreditavam em tritões e sereias, e muitas histórias são de sereias que se despojaram por um breve período da plumagem de cisne ou roupas de foca, que deixavam na praia para serem encontradas por mortais, que então eram capazes de obrigar as belas donzelas a permanecerem em terra.

Havia também monstros marinhos malignos conhecidos como Nicors (ou Nixes), de cujo nome deriva a expressão "Velho Nick". Muitas das divindades menores da água tinham rabos de peixe; as fêmeas exibiam o nome de Ondinas, e os machos, de Stromkarls, Nixies, Necks ou Neckar.

Na Idade Média, acreditava-se que esses espíritos da água deixavam seus riachos nativos, apareciam nas danças das aldeias, onde eram reconhecidos pela bainha molhada de suas roupas. Eles costumavam sentar-se ao lado do ribeirão ou rio, tocando uma harpa ou cantando canções sedutoras enquanto penteavam seus longos cabelos dourados ou verdes.

Os Nixies, as Ondinas e os Stromkarls eram seres particularmente gentis e amáveis e estavam muito ansiosos para obter repetidas garantias de sua salvação final.

Contam-se muitas histórias de padres ou crianças que os encontravam tocando em um riacho e zombavam deles com a condenação eterna. Essa ameaça nunca deixava de transformar a música alegre em lamentos deploráveis. Frequentemente, padre ou crianças, descobrindo seu erro e tocados pela agonia de suas vítimas, voltavam rapidamente ao riacho e asseguravam aos espíritos da água de dentes verdes da redenção futura, quando invariavelmente eles retomavam suas canções felizes.

LORELEI

Além de Elf ou Elb — o espírito da água que deu nome ao rio Elba, na Alemanha — e dos Nixies, a mais famosa de todas as divindades menores da água é Lorelei, a donzela sereia que se assenta na rocha Lorelei, perto de St. Goar, no Reno, e cujo canto sedutor atraiu muitos marinheiros para a morte. As lendas relativas a esta sereia são muito numerosas, e uma das mais antigas é esta:

Lorelei era uma imortal, uma ninfa da água, filha do Pai Reno. Durante o dia, ela morava nas profundezas frias do leito do rio, mas tarde da noite aparecia à luz da lua, sentada no alto de uma rocha, de onde via todos que passavam pelo rio. Às vezes, a brisa da noite levava algumas das notas de sua música aos ouvidos dos barqueiros, que, esquecendo o tempo e o espaço ao ouvir essas melodias encantadoras, perdiam o rumo e colidiam com as rochas afiadas e irregulares, onde invariavelmente pereciam.

Dizem que apenas uma pessoa viu Lorelei de perto. Era um jovem pescador de Oberwesel que a encontrava todas as noites à beira do rio e passava horas agradáveis com ela, apreciando sua beleza e ouvindo sua música fascinante. Dizia a tradição que, antes de se separarem, Lorelei indicava os locais onde o jovem deveria lançar suas redes no dia seguinte — instruções que ele sempre obedecia e que sempre lhe traziam sucesso.

Uma noite, o jovem pescador foi visto indo em direção ao rio, mas, como ele não retornou, começaram a procurar por ele. Como nenhuma pista de seu paradeiro foi encontrada, os crédulos teutões finalmente relataram que Lorelei o arrastara até suas cavernas de coral para que pudesse desfrutar da companhia dele para sempre.

De acordo com outra versão, Lorelei, com suas cordas fascinantes das rochas escarpadas, atraíra tantos pescadores para uma cova nas profundezas do Reno que uma força armada foi uma vez enviada ao anoitecer para cercá-la e capturá-la. Todavia, a ninfa da água lançou um feitiço tão poderoso sobre o capitão e seus homens que eles não conseguiram mexer as mãos nem os pés. Enquanto eles estavam imóveis ao seu redor, Lorelei se despiu de seus ornamentos e os lançou nas ondas lá embaixo; então, cantando um feitiço, ela atraiu as águas para o topo do penhasco sobre o qual estava sentada e, para a surpresa dos soldados, as ondas formaram uma carruagem verde-mar puxada por cavalos brancos. A ninfa saltou com leveza para dentro dela, e o equipamento mágico instantaneamente se perdeu de vista. Alguns momentos depois, o Reno baixou para o nível habitual, e o feitiço foi quebrado. Os homens recuperaram a força do movimento e recuaram para contar como seus esforços haviam sido frustrados. Desde então, porém, Lorelei não é mais vista, e os camponeses declaram que ela ainda se ressente do insulto que lhe foi feito e nunca mais deixará suas cavernas de coral.

HULDRA

Huldra (também Skogsra ou Tallemaja) é uma espécie de fada ou espírito das florestas pertencente à mitologia escandinava. É descrita como uma bela e sedutora mulher, que tem um buraco nas costas semelhante a um tronco velho e uma cauda de raposa ou vaca.

As Huldras são sempre do sexo feminino e dotadas de força sobre-humana, poderes sobrenaturais e alta resistência a ferimentos. Segundo as lendas, elas costumam aparecer aos humanos em meio à neblina ou à chuva, de forma gentil e amigável. Costumam estar vestidas como damas, e se preocupam em esconder sua cauda por baixo de sua saia e o buraco de suas costas com os cabelos.

A Huldra atrai os homens para a floresta a fim de ter relações sexuais com eles, recompensando aqueles que a satisfazem e frequentemente matando aqueles que não o fazem.

Mesmo que um homem consiga satisfazer sexualmente uma Huldra, isso não garante sua segurança, pois ele se torna obcecado por ela e irá retornar todos os dias para se relacionar com ela. Eventualmente, acabará ficando esgotado e, se não puder satisfazê-la mais, será morto. Alguns não têm tanta sorte — ou talvez não sejam habilidosos — e só escapam dela depois de renunciar à sua sanidade.

Assim como outros tipos de fadas, as Huldras raptam crianças humanas e deixam para trás um de seus próprios filhos em seu lugar. Elas são associadas à caça: podem soprar no cano do rifle de um caçador, fazendo com que ele nunca mais perca um tiro.

Às vezes, elas se casam com garotos das fazendas locais, mas, quando isso acontece, sua cauda cai e sua beleza se transforma em eterna feiura. Algumas lendas falam de maridos que posteriormente a tratam mal. Se maltratada, uma Huldra poderia perpetrar uma terrível vingança contra seu marido. Alguns contos de fadas deixam de fora esse recurso e deixam o casal viver feliz para sempre. Ela costuma conquistar o marido mostrando sua força física, muitas vezes endireitando uma ferradura.

Se traída, ela pode punir severamente o homem, como em um caso de Sigdal, quando uma Huldra vingou seu orgulho de um jovem fanfarrão com quem jurara se casar, com a promessa de que ele não contaria a ninguém. Pelo contrário, o menino se gabou de sua noiva por um ano e, quando se encontraram novamente, ela bateu nas orelhas dele com o rabo de vaca. Ele perdeu a audição e o juízo pelo resto da vida.

Na Islândia moderna, ainda existem muitas histórias sobre os Huldrefolk. Dizem que as equipes de trabalho que constroem novas estradas às vezes as desviam em torno de rochas específicas que são conhecidas por serem as casas das Huldras.

Há uma história de uma Huldra que foi gentil com um mineiro, observando seu forno de carvão enquanto ele descansava. Sabendo que ela o acordaria se houvesse algum problema, ele conseguia dormir e, em troca, deixou provisões para ela em um lugar especial. Um conto de Närke, na Suécia, ilustra ainda mais como uma Huldra poderia ser gentil, especialmente se tratada com respeito.

Um garoto em Tiveden foi pescar, mas não teve sorte. Então ele conheceu uma senhora bonita, e ela era tão impressionante que ele sentiu que precisava recuperar o fôlego. Mas, então, ele percebeu quem ela era, porque podia ver o rabo de raposa sair por baixo da saia. Como ele sabia que era proibido comentar sobre a cauda da dama da floresta se não fosse feito da maneira mais educada, ele se curvou profundamente e disse com sua voz mais suave:

"Milady, vejo que sua anágua aparece abaixo da sua saia."

A senhora agradeceu-lhe graciosamente e escondeu o rabo debaixo da saia, dizendo ao menino para pescar do outro lado do lago. Naquele dia, o garoto teve muita sorte com a pesca e pescava um peixe toda vez que lançava a linha. Este foi o reconhecimento da Huldra pela polidez do garoto.

Existem algumas formas de se proteger das Huldras. Como a maioria das fadas, as Huldras temem objetos de ferro e sal, portanto basta carregar algo feito de ferro e/ou um punhado de sal, e elas não se aproximarão. Caso uma Huldra encante um homem, ele deverá amarrar em si próprio alguns ramos de Tibast e Vandelrot, duas ervas nativas da região escandinava. Essas ervas fazem com que a Huldra perca o interesse pelo homem. Conta-se também que ver o buraco em suas costas quebra o seu encanto.

SELKIES

Também conhecidos como Silkies ou Selchies, os Selkies são criaturas mitológicas encontradas no folclore das Ilhas Faroé, da Islândia, da Irlanda e da Escócia. A palavra deriva do escocês primitivo *selich*, que significa foca.

As lendas antigas sobre Selkies os descrevem como "O Povo Foca". Quando estão na água, disfarçam-se entre as focas e vivem com elas, mas, quando estão em pedras ou na terra, arrancam sua pele, ficando como humanos. Do mesmo modo, basta vestirem novamente sua pele de foca para retornar à a forma original.

Existem várias versões para a frequência com que isso pode acontecer: algumas histórias dizem que ocorre uma vez por ano, na véspera do solstício de verão, outras afirmam que os Selkies se transformam em seres humanos todas as noites.

Quando estão na forma humana, os Selkies são excepcionalmente belos e encantadores. Gostam de ir à praia para dançar, e é nessas ocasiões que geralmente são capturados.

Diz-se que, ao esconder a pele de foca, quem a tem passa a exercer domínio sobre o Selkie, que não pode retornar ao mar, pois não consegue se transformar novamente sem a pele. Os Selkies só podem fazer contato com um ser humano por um curto período de tempo e depois devem retornar ao mar. E não podem fazer contato novamente com um ser humano antes de decorridos sete anos, a menos que o humano lhe roube a pele de foca e a esconda ou queime-a.

De acordo com a lenda, um Selkie, quando dominado, convive bem com os humanos. No entanto, caso consiga recuperar sua pele, ele não hesitará em deixar tudo para trás e voltar ao mar. Geralmente, uma Selkie do sexo feminino evita rever seu marido humano, mas às vezes é possível vê-la brincar com seus filhos na praia.

Existem também Selkies do sexo masculino, que também são descritos como sendo muito bonitos em sua forma humana e com grande poder de sedução sobre as mulheres. Eles procuram aquelas que estão insatisfeitas com sua vida romântica. Isto inclui mulheres casadas esperando por seus maridos pescadores. Se uma mulher quer fazer contato com um macho Selkie, ela deve ir para uma praia e derramar sete lágrimas no mar.

Uma das histórias mais famosas sobre Selkies é da Ilha de Mikladalur, localizada nas Ilhas Faroé, onde um pescador observava as Selkies dançar na praia e, certo dia, escondeu a pele de uma delas e a fez sua esposa. O pescador guardou a pele de foca em um baú de coisas íntimas. Um dia ele foi pescar e esqueceu a chave em casa. A Selkie a descobriu e, assim que viu sua pele, lembrou-se do passado e em seguida fugiu para sua casa, onde reencontrou sua família Selkie.

O pescador resolveu segui-la, encontrou o marido da Selkie e seus dois filhos em uma caverna e os matou como punição, assim como outras focas que estavam em seu caminho. Ao descobrir, a Selkie jurou vingança contra todos os homens da ilha de Mikladalur. Depois disso, muitos homens foram mortos afogados, jogados de penhascos. As mortes continuariam até que o povo Selkie desse as mãos e circundasse toda a ilha. Em homenagem à mulher Selkie, uma estátua foi construída na pedra onde ela era avistada e ficou conhecida como *A Mulher Foca de Mikladalur*.

Podemos ver exemplos de histórias de seres parecidos com os Selkies em várias culturas. No Brasil, por exemplo, temos o boto-cor-de-rosa, que se transforma em humano para seduzir jovens donzelas e depois retorna às águas.

ESPÍRITOS DA TERRA

BÄCKAHÄST OU BÆKHEST

Bäckhäst, o cavalo do riacho, é um cavalo mitológico do folclore escandinavo. Era frequentemente descrito como um cavalo branco majestoso que aparecia perto de rios, principalmente durante os nevoeiros. Qualquer um que subisse em suas costas não conseguiria descer de novo. O cavalo, então, pulava no rio e afogava o cavaleiro. O cavalo do riacho também podia ser aproveitado para o arado, porque tenta enganar uma pessoa ou porque a pessoa foi mais esperta que ele. A história a seguir é uma boa ilustração do cavalo de riacho:

Há muito tempo, havia uma garota que não era apenas bonita, mas também grande e forte. Ela trabalhava como empregada doméstica em uma fazenda no lago Hjärtasjön, no sul de Nerike. Ela estava arando com o cavalo da fazenda em um dos campos à beira do lago. Era primavera, e o tempo estava bonito. Os pássaros gorjeavam e voavam ao redor da menina e do cavalo para apanhar minhocas.

De repente, um cavalo apareceu do lago. Era um cavalo grande e bonito, de cor brilhante e com grandes manchas nas laterais. Tinha uma bela crina que flutuava ao vento e uma cauda que caía até o chão. O cavalo empinou para a garota, a fim de mostrar como era bonito.

A garota, no entanto, sabia que era o cavalo do riacho e o ignorou. Então o cavalo do riacho se aproximou cada vez mais e, finalmente, chegou tão perto que mordeu a crina do cavalo da fazenda. A garota bateu no cavalo do riacho com o chicote e gritou: "Desapareça, seu canalha, ou você terá de arar para nunca mais esquecer".

Assim que ela disse isso, o cavalo do riacho trocou de lugar com o cavalo da fazenda e começou a arar o campo com tanta velocidade que o solo e as pedras giraram em seu rastro, e a garota ficou pendurada como uma luva no arado. Mais rápido do que o galo pode cantar sete vezes, o arado estava terminado, e o cavalo do riacho se dirigiu para o lago, arrastando o arado e a menina.

No entanto, a menina tinha um pedaço de aço no bolso e fez o sinal da cruz. Imediatamente ela caiu no chão e viu o cavalo desaparecer no lago com o arado. Ela ouviu um relinchar frustrado quando o cavalo do riacho entendeu que seu truque havia falhado. Até hoje, é possível ver uma trilha profunda no campo.

LANDVÆTTIR,
TOMTE, NISSE, HULDUFÓLK

Os Landvættir são espíritos guardiões da terra no paganismo nórdico e germânico. Eles vivem em cachoeiras, bosques e rochas e protegem e promovem o florescimento dos locais específicos onde vivem. Essas áreas podem ser tão pequenas como uma rocha ou um canto de um campo ou tão grandes como uma seção de um país.

Os Landvættir vivem principalmente em lugares que nunca foram povoados e são espíritos que controlam a segurança e a fertilidade da terra. Estão ligados a um lugar na paisagem, a uma enorme rocha, a uma montanha ou a um lugar especialmente lindo se comparado com locais vizinhos.

Na Islândia, existem muitas fazendas com rochas em torno das quais não se pode ceifar e as crianças não podem brincar. Quando a construção da base aérea de Keflavík estava prestes a começar, o primeiro-ministro islandês sonhou que uma mulher veio até ele e pediu para adiar a remoção de uma rocha para dar tempo à sua família de se mudar. Ele fez isso por duas semanas, sob as objeções dos estadunidenses, até que a mulher chegou a ele em outro sonho, dizendo-lhe que os Landvættir estavam todos fora.

Os islandeses levam comida para rochas e cavernas para alimentar a terra na esperança de serem abençoadas com uma casa próspera. Uma versão do Livro Islandês de Assentamentos (Landnámabók) diz que a lei antiga da Islândia proibia ter uma cabeça de dragão na proa de seu navio quando estivesse entrando no porto, porque os Landvættir ficariam assustados.

OS QUATRO LANDVÆTTIR DA ISLÂNDIA

A Islândia é protegida por quatro grandes guardiões, que são conhecidos como os quatro Landvættir e protegem os quatro cantos da Islândia: o dragão (Dreki) no leste, a águia ou o grifo (Gammur) no norte, o touro (Griðungur) no oeste e o gigante (Bergrisi) no sul. Os quatro Landvættir da Islândia são retratados no brasão islandês e no anverso das moedas da coroa islandesa.

VITTRAS

Os anões do folclore escandinavo são espíritos da terra, embora com características um pouco diferentes. Eles vivem no subsolo, muitas vezes logo ao lado dos assentamentos humanos, e geralmente são uma ameaça para seus vizinhos moradores.

Existe um tipo de espírito no norte da Suécia chamado Vittra, que vive no subsolo, é invisível a maior parte do tempo e tem o seu próprio gado. Na maioria das vezes, os Vittras são bastante distantes e não se intrometem nos assuntos humanos, mas são assustadores quando enfurecidos. Isso pode acontecer se não são respeitados — por exemplo, se as pessoas negligenciam a realização de certos rituais (como dizer "olhe para lá" ao jogar água quente ou ir ao banheiro para que eles possam se afastar, ou construir sua casa perto deles ou, pior ainda, no topo de sua casa, perturbando o gado ou bloqueando suas estradas). Eles farão o que for preciso para afastá-las, até mesmo forjar acidentes que possam prejudicá-las ou mesmo matá-las.

Mesmo atualmente, algumas pessoas reconstroem ou movem suas casas para não bloquear uma “passagem de vittra“ ou mudam-se das casas que são consideradas como “Locais dos Vittra” por causa da má sorte — embora isso seja bastante incomum.

Acredita-se que os Vittras às vezes tomam emprestado o gado das pessoas, que mais tarde é devolvido ao proprietário com a capacidade de dar mais leite, como sinal de gratidão.

TOMTE

Denominados nisse ou tomtenisse (Suécia), nisse (Noruega e Dinamarca) ou tonttu (Finlândia), são os espíritos da terra bons e úteis do folclore escandinavo. Acredita-se que o tomte ou nisse cuide da casa e dos filhos de um fazendeiro e os proteja do infortúnio, especialmente à noite, quando os moradores da casa estão dormindo.

O tomte/nisse era muitas vezes imaginado como um homem pequeno e idoso, com um tamanho que poderia variar de alguns centímetros a cerca de metade da altura de um homem adulto, muitas vezes com uma barba cheia e vestido com a roupa de um fazendeiro. Diz-se que os nisses são seres habilidosos em ilusões e às vezes capazes de se tornar invisíveis. O folclore norueguês afirma que ele tem quatro dedos e às vezes orelhas pontudas e que seus olhos brilham no escuro.

Apesar do tamanho reduzido, o tomte/nisse tinha uma força imensa. Mesmo sendo protetor e atencioso, ofendia-se facilmente, e suas retribuições variavam de pequenas brincadeiras, como um puxão de orelhas, até um castigo mais sério, como matar o gado ou arruinar a fortuna da fazenda. O tomte/nisse era um tradicionalista que não gostava de mudanças na forma como as coisas eram feitas na fazenda. Outra maneira fácil de ofendê-lo era a descortesia: os trabalhadores agrícolas que urinavam nos celeiros ou que não tratavam bem as criaturas seriam profundamente castigados. Se alguém derramasse algo no chão da casa, era sábio avisar ao tomte.

Também era necessário que se agradasse o espírito com presentes – um presente particular era uma tigela de mingau na noite de Natal. Se o tomte não recebesse seu pagamento, deixaria a fazenda ou a casa ou se engajaria em travessuras, como amarrar as caudas das vacas juntas no celeiro, virar objetos de cabeça para baixo e quebrar coisas.

O tomte está conectado aos animais da fazenda em geral, mas seu animal favorito era o cavalo. A crença dizia que se podia ver qual cavalo era o favorito do tomte, pois seria especialmente saudável e bem cuidado. Às vezes, o tomte trançava o cabelo e a cauda, e desfazer essas tranças poderia causar desgraça ou irritar o tomte.

O tomte é uma das criaturas mais conhecidas do folclore escandinavo e aparece em muitas obras da literatura escandinava. Com a romanização e a coleta do folclore durante o século XIX, o tomte ganharia popularidade. Nas edições inglesas dos contos de fadas de Hans Christian Andersen, a palavra nisse foi incorretamente traduzida como *goblin* (uma tradução mais precisa seria *brownie* ou *hob*).

RAGNAROK

O CREPÚSCULO DOS DEUSES

Na mitologia nórdica, o Ragnarok é uma série de eventos apocalípticos que vão culminar no fim do mundo. Enquanto os outros mitos narram eventos que já aconteceram, este conta o que ainda está por vir. Os gigantes do gelo e do fogo entrarão em guerra contra os deuses, e as batalhas levarão à destruição total do planeta, que será submerso na água.

Uma das características distintivas da mitologia do norte é que as pessoas sempre acreditaram que seus deuses pertenciam a uma raça finita. Elas argumentavam que os Æsir tiveram um começo e, portanto, devem ter um fim; e, como nasceram de uma mistura de elementos divinos e gigantes, sendo, portanto, imperfeitos, carregavam consigo o germe da morte e, como os homens, estavam fadados a sofrer a morte física para alcançar a imortalidade espiritual.

Para os *vikings*, o episódio era como uma espécie de profecia que se concretizaria mais cedo ou mais tarde, num momento desconhecido. Conhecer o mito do Ragnarok nos ajuda a entender como os antigos nórdicos viam e entendiam o mundo no seu tempo.

Se eles acreditavam de fato que o Ragnarok chegaria um dia, ou seja, que o caos e a destruição eram inevitáveis, seria compreensível que eles fossem tomados por algum sentimento de desolação e conformismo. Entretanto, não era esse o posicionamento que os *vikings* tinham em relação à morte inevitável: deveriam, justamente por esse motivo, esforçar-se para que suas ações fossem nobres e honráveis e para não serem tomados pelo medo. Essa visão de mundo pode ser encontrada facilmente nas sagas, nas quais a busca pela coragem, a bravura e a honorabilidade ficam evidentes: as ações deveriam ser destemidas e grandiosas para que merecessem ser recontadas, geração após geração, e não caíssem em esquecimento facilmente.

Existem diferentes versões do Ragnarok. Em algumas delas, o evento representa o fim definitivo do cosmos; em outras, existe o renascimento.

O DECLÍNIO DOS DEUSES

Os Æsir toleraram a presença do mal, personificada por Loki, no meio deles. Eles foram fracos e seguiram o conselho de Loki, permitindo que este os envolvesse em todos os tipos de dificuldades das quais só puderam se libertar ao preço de parte de sua virtude ou paz. Além disso, permitiram que Loki ganhasse tanta ascendência sobre eles que ele não teve escrúpulo em roubá-los de sua pureza ou inocência mais querida, personificada por Balder, o bom.

Tarde demais os deuses perceberam o quão mau era esse espírito que havia encontrado um lar entre eles; e tarde demais baniram Loki para a Terra, onde os homens, seguindo o exemplo dos deuses, ouviram seus ensinamentos e foram corrompidos por sua influência sinistra.

Vendo que o crime era desenfreado e todo o bem estava sendo banido da Terra, os deuses perceberam que as profecias proferidas na antiguidade estavam prestes a ser cumpridas e que a sombra de Ragnarok, o crepúsculo dos deuses, já se abatia sobre eles.

Sol e Mani empalideceram de horror e dirigiam seus carros pelos caminhos designados, olhando com medo para os lobos perseguidores que logo os alcançaria e os devoraria. E, enquanto seus sorrisos desapareciam, a Terra ficava triste e fria, e o terrível inverno Fimbul começou. Então a neve caiu dos quatro pontos da bússola de uma só vez, os ventos cortantes vieram do norte, e toda a Terra ficou coberta com uma espessa camada de gelo.

Esse inverno severo durou três temporadas inteiras sem interrupção e foi seguido por outros três, igualmente severos, durante os quais toda a alegria desapareceu da face da Terra e os crimes dos homens aumentaram com grande rapidez, enquanto, na luta geral pela vida, os últimos sentimentos de humanidade e compaixão desapareceram.

Nos recantos sombrios da Floresta de Ferro, as gigantes Iarnsaxa ou Angrboda alimentavam diligentemente os lobos Hati, Skoll e Managarm, as crias de Fenris, com a medula dos ossos de assassinos e adúlteros. E tal era a prevalência desses crimes vis que os monstros quase insaciáveis nunca deixaram de ter o que comer. Dia após dia, eles ganhavam forças para perseguir Sol e Mani, e finalmente os alcançaram e os devoraram, inundando a Terra com o sangue que pingava de suas mandíbulas.

Diante dessa terrível calamidade, a terra inteira tremeu. As estrelas, aterrorizadas, caíram de seus lugares, e Loki, Fenris e Garm, renovando seus esforços, romperam suas correntes e se apressaram em buscar sua vingança. No mesmo momento, o dragão Nidhug roía a raiz do freixo Yggdrasil, que tremia até o galho mais alto; o galo vermelho Fialar, empoleirado acima de Valhalla, gritou um alarme, que foi imediatamente ecoado por Gullin-kambi, o galo de Midgard, e pelo pássaro vermelho-escuro de Hela em Niflheim.

Heimdall, observando esses presságios ameaçadores e ouvindo o grito estridente do galo, imediatamente colocou o chifre de Giallar nos lábios e soprou o tão esperado aviso, que foi ouvido em todo o mundo. Ao primeiro som dessa manifestação, Æsir e Einheriar saltaram de seus sofás dourados e saíram bravamente do grande salão, armados para a briga que se aproximava, e, montando seus corcéis impacientes, galoparam pela ponte trêmula do arco-íris para o amplo campo de Vigrid, onde, como Vafthrudnir havia previsto muito antes, a última batalha deveria ocorrer.

A terrível serpente de Midgard, Jormungand, foi despertada pela perturbação geral e, com imensas contorções e muito alvoroço, deixou os mares revoltados e com ondas enormes, como nunca acontecera às profundezas do oceano. Então ela se arrastou para a terra e logo se uniu à batalha pavorosa, na qual iria desempenhar um papel de destaque.

Uma das grandes ondas provocadas pelos esforços de Jormungand colocou na água Nagilfar, o navio fatal, construído com as unhas dos mortos cujos parentes haviam fracassado em seu dever. Assim que o navio chegou à água, Loki embarcou nele com o exército de Muspelheim e o conduziu com ousadia sobre as águas tempestuosas até o local do conflito.

Contudo, esse não era o único navio com destino a Vigrid, pois de um denso nevoeiro ao norte vinha outro navio, guiado por Hrym, no qual todos os gigantes do gelo estavam armados até os dentes e ansiosos por um conflito com os Æsir, a quem sempre odiaram.

Ao mesmo tempo, Hela, a deusa da morte, rastejou através de uma fenda na Terra para fora de sua casa subterrânea, seguida de perto pelos Helhound Garm, os malfeitores de seu reino desanimado, e pelo dragão Nidhug, que sobrevoou o campo de batalha carregando cadáveres sobre suas asas.

Assim que ele pousou, Loki acolheu esses reforços com alegria e, colocando-se diante de todos, marchou com eles para a luta.

De repente, o céu se abriu e, através da brecha ardente, surgiu Surtr com sua espada flamejante, seguido por seus filhos. Enquanto eles passavam pela ponte Bifrost, com a intenção de atacar Asgard, o arco glorioso afundou com um estrondo sob o passo de seus cavalos.

Os deuses sabiam muito bem que seu fim estava agora próximo e que sua fraqueza e falta de visão os colocava em grande desvantagem, pois Odin tinha apenas um olho, Tyr tinha apenas uma mão, e Frey, nada além de um chifre de veado com o qual se defender, em vez de sua espada invencível. No entanto, os Æsir não mostraram sinais de desespero, mas, como verdadeiros deuses da batalha do Norte, vestiram suas roupas mais ricas e cavalgaram alegremente para o campo de batalha, determinados a vender suas vidas o mais caro possível.

Enquanto reuniam suas forças, Odin mais uma vez desceu até a fonte Urdar, onde, sob o Yggdrasil, as Nornas estavam sentadas com os rostos cobertos e em total silêncio, com a teia caída aos seus pés. Mais uma vez, o pai dos deuses sussurrou palavras misteriosas para Mímir; depois, montou novamente em Sleipnir e voltou para o meio dos deuses, que o esperavam.

A GRANDE BATALHA

Os combatentes estavam agora reunidos na ampla planície de Vigrid. De um lado, estavam os rostos severos e calmos de Æsir, Vanir e Einheriar; do outro lado, estavam reunidas as hostes heterogêneas de Surtr, os gigantes do gelo, o exército pálido de Hela, e Loki e seus temíveis seguidores, Garm, Fenris e Jormungand, os dois últimos lançando fogo e fumaça e exalando nuvens de vapores nocivos e mortais, que enchiam todo o céu e a terra com seu hálito venenoso.

Todo o antagonismo reprimido das eras foi agora libertado em uma torrente de ódio, cada membro das hostes opostas lutando com uma determinação nefasta, assim como nossos ancestrais da antiguidade, mão a mão e cara a cara. Com um choque poderoso, ouvido acima do rugido da batalha que tomava o universo, Odin e o lobo Fenris entraram em contato impetuoso, enquanto Thor atacava a cobra de Midgard, e Tyr enfrentava o cão Garm. Frey se atracava com Surtr, Heimdall com Loki, a quem ele havia derrotado uma vez, e o restante dos deuses e todos os einheriares enfrentavam inimigos igualmente dignos de sua coragem. Mas, apesar de sua preparação diária na cidade celestial, o exército de Valhalla estava fadado a sucumbir, e Odin estava entre os primeiros dos mais brilhantes a serem mortos. Nem mesmo a alta coragem e os poderosos atributos do grande deus poderiam suportar a maré do mal personificada pelo lobo Fenris. A cada momento sucessivo da luta, seu tamanho colossal assumia proporções maiores, até que finalmente suas mandíbulas abertas abrangeram todo o espaço entre o céu e a terra, e o monstro imundo se precipitou furiosamente sobre o pai dos deuses e o engoliu inteiro com sua boca medonha.

Nenhum dos deuses pôde ajudar Odin naquele momento crítico, pois era uma época de provações dolorosas para todos. Frey fez esforços heroicos, mas a espada flamejante de Surtr por fim lhe desferiu um golpe mortal. Em sua luta com o arqui-inimigo Loki, Heimdall se saiu melhor, mas sua conquista final foi muito cara, pois ele também caiu morto. A luta entre Tyr e Garm teve o mesmo fim trágico, e Thor, após um terrível encontro com a serpente de Midgard, e depois de matá-la com um golpe de Mjolnir, recuou nove passos e se afogou na inundação de veneno que jorrava das mandíbulas do monstro moribundo.

Vidar[14] veio correndo de uma parte distante da planície para vingar a morte de seu poderoso pai, e a destruição predita caiu sobre Fenris, cuja mandíbula inferior agora sentia o impacto daquela bota que estava reservada para esse dia. No mesmo momento, Vidar agarrou a mandíbula superior do monstro com as mãos e, com um puxão terrível, rasgou-a.

Depois de todos os outros deuses que participaram da batalha e todos os einheriares terem perecido, Surtr lançou suas marcas de fogo sobre o céu, a terra e os nove reinos de Hela. As chamas furiosas envolveram o caule maciço do freixo Yggdrasil e alcançaram os palácios dourados dos deuses, que foram totalmente consumidos. A vegetação que havia sobre a terra também foi destruída, e o calor fez todas as águas ferver e borbulhar.

O grande incêndio queimou ferozmente até que tudo tivesse sido consumido, e então a terra, enegrecida e com cicatrizes, afundou lentamente sob as ondas ferventes do mar. Ragnarok havia mesmo chegado.

A REGENERAÇÃO

A tragédia mundial terminara, os atores divinos estavam mortos, e o caos parecia ter retomado seu domínio anterior. Entretanto, como em uma peça de teatro, em que, depois que

14. Vidar, filho de Odin e da gigante Grida, é conhecido por ser silencioso e amar a natureza.

os atores principais são mortos e a cortina cai, a plateia ainda espera os atores aparecerem e se curvar, assim também as antigas raças do norte imaginavam que, tendo todo o mal perecido nas chamas de Surtr, a bondade renasceria da ruína geral para retomar seu domínio sobre a Terra e alguns dos deuses voltariam a habitar no céu para sempre.

Nossos ancestrais acreditavam plenamente na regeneração e na ideia de que, após certo tempo, a Terra, purgada pelo fogo e purificada por sua imersão no mar, ressuscitaria em toda a sua beleza imaculada e seria iluminada pelo sol, cuja carruagem seria conduzida por uma filha de Sol, que nascera antes de o lobo devorar sua mãe. O novo orbe do dia não seria imperfeito, como o primeiro sol, e seus raios não seriam mais tão ardentes que um escudo precisasse ser colocado entre ele e a Terra. Esses raios mais benéficos logo fariam a Terra renovar seu manto verde e produzir flores e frutos em abundância. Dois seres humanos, uma mulher, Lif, e um homem, Lifthrasir, emergiriam então das profundezas da floresta de Hodmimir (Mímir), onde se refugiaram quando Surtr incendiou o mundo. Eles mergulharam em um sono tranquilo lá, inconscientes da destruição ao seu redor, e assim permaneceram, sendo alimentados pelo orvalho da manhã, até que fosse seguro vagar pelo mundo mais uma vez, quando tomariam posse da Terra regenerada, que seus descendentes iriam povoar e sobre a qual teriam pleno domínio.

UM NOVO CÉU

Todos os deuses que representavam as forças em desenvolvimento da Natureza foram mortos no campo fatal de Vigrid, a não ser Vali e Vidar, os tipos de forças imperecíveis da Natureza. Eles retornaram ao campo de Ida, onde foram recebidos por Modi e Magni, filhos de Thor, personificações da força e da energia, que resgataram o martelo sagrado de seu pai da destruição geral e o levaram para lá.

Ali juntaram-se a Hoenir, que já não era um exilado entre os Vanir, e, do submundo sombrio onde havia ficado por tanto tempo, ergueu-se o radiante Balder, junto com seu irmão Hodur, com quem se reconciliara e com quem viveria em perfeita amizade e paz. O passado se foi para sempre, e as divindades sobreviventes puderam lembrar-se dele sem amargura. A lembrança de seus antigos companheiros era, no entanto, querida para eles, e muitas vezes eles retornavam aos seus antigos lugares para recordar as associações felizes. Foi assim que, andando um dia na grama alta de Idavold, encontraram novamente os discos dourados com os quais os Æsir costumavam se divertir.

Quando o pequeno grupo de deuses virou-se tristemente para o lugar onde um dia ficaram suas moradas nobres, perceberam, com alegre surpresa, que Gimli, a mais alta morada celestial, não havia sido consumida, pois brilhava diante deles com seu teto dourado a ofuscar o sol. Foram depressa para lá e descobriram, para aumentar sua alegria, que aquele se tornara o lugar de refúgio de todos os virtuosos.

Sagas Selecionadas

Pintura: *Caça selvagem de Odin* (1872)
Peter Nicolai Arbo (1831-1892)

ERIK, O VERMELHO

A Saga de Erik, o Vermelho é uma saga islandesa medieval que narra a descoberta e colonização da Groenlândia e a descoberta e tentativa de colonização da América do Norte pelos escandinavos nos séculos X e XI. Erik Thorvaldsson foi um dos mais famosos *vikings* da história, citado nas tradicionais fontes medievais e sagas islandesas.

Erik era citado como Eiríkr Hinn Rauði (islandês) ou Eirik Raude (norueguês), que em português quer dizer "Erik, o Vermelho". A denominação "o Vermelho" provavelmente se refere à cor de seu cabelo e de sua barba, por isso ele também é chamado de "Erik, o Ruivo".

Erik nasceu em Jæren, distrito de Rogaland, Noruega, por volta de 950. Por volta de 960, o pai de Erik foi banido da Noruega depois de ser condenado por vários assassinatos durante o reinado do rei Harald I da Noruega. Torvald Åsvaldsson e sua família, incluindo o pequeno Erik (então com 10 anos), mudaram-se para o noroeste da Islândia. Lá, Torvald formou uma fazenda e manteve sua família até sua morte, em 980.

Depois que o pai morreu, Erik casou-se e construiu uma fazenda em Haukadal (Hawksdale), onde teve três filhos e uma filha: Leif Eriksson, o descobridor da Vinlândia (a atual Terra Nova, no Canadá), Thorvald Eiriksson, Thorstein Eiriksson e Freydis Eiríksdóttir.

Erik era um homem violento e teve várias desavenças com seus vizinhos. A mais grave ocorreu com seu vizinho Valthjof, quando Erik matou um amigo dele, Eyiolf, o Violento, e seus parentes exigiram a expulsão do Ruivo de Haukadal.

Erik, então, mudou-se para a ilha de Oxney (Islândia). Para lá levou várias vigas ornamentais de madeira que havia herdado do pai. Este as havia trazido da Noruega porque tinham grande valor místico para ele. Erik então pediu ao seu vizinho, o camponês Thorgest, que guardasse as vigas até que ele construísse sua casa. Quando terminou a nova casa, voltou para buscá-las, mas Thorgest se recusou a devolvê-las. Erik então tomou-as à força. Thorgest perseguiu Erik e, na disputa pelas vigas, formou-se uma grande contenda entre a vizinhança que apoiava um dos lados. Erik saiu vencedor, matando vários homens que apoiaram Thorgest, incluindo dois filhos dele. Em 982, Erik foi julgado e condenado ao exílio por três anos.

Agora ele já não mais podia pisar nem na Noruega nem na Islândia. Restavam-lhe poucas opções; então, por dois anos, ele navegou com um grupo de seguidores, deixando a família na Islândia.

Valendo-se de relatos do navegador norueguês Gunnbjorn Ulfsson, que, durante uma viagem entre a Noruega e a Islândia, se desviou do seu curso e avistou uma terra distante, a oeste da Islândia, Erik decidiu encontrar a terra misteriosa e desconhecida. Ele e alguns companheiros seguiram as coordenadas reveladas por Gunnbjorn e finalmente chegaram à costa leste de uma ilha.

Por causa do gelo, eles mudaram o curso para o sul e contornaram a ponta sul da ilha (que mais tarde seria conhecida como Cabo Farewell). Navegaram até a costa ocidental. Por fim, chegaram a uma parte da costa que tinha condições semelhantes às da Islândia, e Erik pensou que aquele lugar lhe proporcionaria crescimento e prosperidade.

Lá, Erik desembarcou e viu alguns campos verdes (era verão). Naquele mesmo instante, ele percebeu que havia descoberto novas terras. Erik viu nisso a chance de criar seu próprio reino, independente da Noruega, que tanto o perseguia. Ele retornou para a Islândia dizendo que havia descoberto a Gröenland (Greenland, em inglês, ou Terra Verde).

Ele sabia que, com esse nome, atrairia para seu empreendimento muitas pessoas em busca da tão sonhada terra fértil. Quatro anos mais tarde, em 986, ele finalmente conduziu uma esquadra de vinte e cinco navios até a Groenlândia, levando cerca de 700 pessoas, incluindo mulheres e crianças, além de utensílios domésticos, gado e cavalos. Lá, ele se radicou na região sul, que ficou conhecida como Colônia Oriental (por ser mais perto da Europa), e fundou a cidade de Gardar e a vila, ou fazenda, de Brattahlid, da qual Erik se tornou o chefe. Aos poucos foram chegando mais pessoas, e a Groenlândia foi sendo povoada.

Erik detinha o título de comandante supremo da Groenlândia e tornou-se muito rico e respeitado. Em 1002, um grupo trouxe uma doença infecciosa que devastou os assentamentos. A epidemia matou muitos dos seus habitantes até infectar o próprio Erik, o Vermelho, que morreu durante o inverno de 1003.

Erik foi sucedido no governo de Brattahlid por seu filho Leif Eriksson, que teve de desistir de seu empreendimento marítimo (Vinland) para suceder o pai.

HERVOR E HEIDREK

A saga[1] gira em torno da espada Tyrfing, feita e amaldiçoada pelos duendes Dvalin e During para o rei Svafrlami. Durante uma batalha, o rei perdeu a espada para Arngrim, que a acabou dando de presente a seu filho Angantyr.

Um dia, Angantyr lutou em Samsø, uma ilha da atual Dinamarca, contra o herói sueco Hjalmar e acabou morrendo durante a luta. Seu corpo foi enterrado por seu amigo Orvar-Odd, junto com a espada que ele usara.

Angantyr deixou uma filha, chamada Hervor. Ela era uma Valkíria e não havia sido criada como as outras meninas, pois provara ser tão forte quanto um homem. Assim, em vez de aprender a costurar, a jovem aprendeu a usar o arco e a flecha, a lutar com a espada e a cavalgar. Ela se vestia como um homem; lutava, saqueava e matava usando seu nome masculino, Hjörvard. Hervor, contudo, desconhecia a identidade de seu pai. Ao descobrir quem ele havia sido, a jovem decidiu seguir os passos dele e reivindicar a herança, a espada Tyrfing, que havia sido enterrada com ele.

Hervor foi com sua frota até Samsø, porém foi a única que se atreveu a desembarcar na ilha assombrada, pois todo o restante da tripulação temia passar ao redor dos túmulos da ilha, sobretudo à noite. A moça, então, invocou seu pai e mais onze tios em voz alta, alegando que, por ser sua filha, tinha direito a receber a espada como herança legítima. Ela pediu com a voz tão firme que seu pai se revelou, pedindo, porém, que ela não continuasse na busca pela espada, pois isso significaria a morte de todo o clã. Como é de se imaginar, Hervor não deu ouvidos a seu progenitor e continuou procurando. Finalmente, o túmulo do pai se abriu, e a jovem ansiosamente agarrou sua herança, despediu-se dos parentes mortos e correu até a margem.

Ao chegar à costa, contudo, Hervor percebeu que havia sido abandonada. Seus colegas haviam se assustado com os trovões vindos dos túmulos que ela evocara e fugiram aterrorizados. Depois de algum tempo, ela conseguiu sair da ilha e voltar para a corte de Gudmund de Glaesisvellir, onde, tempos depois, matou um cortesão que tentou roubar Tyrfing. Então, ela retomou suas atividades como viking e viajou por todos os mares do Norte.

De Hervor nasceu Heidrek, que se tornou rei da Reidgotlândia. Houve uma grande batalha pela herança entre seus filhos, Angantyr e Hlod. Este chegou a ser auxiliado pelos hunos, porém foi derrotado e morto.

Já Angantyr teve um filho chamado Ulfhamr Heidhrekr, que reinou sobre Reidgotlândia por muito tempo. Depois disso, seguiu-se uma lista de reis da Suécia, reais e semilendários, terminando em Felipe Halstensson, rei da Suécia de 1105 até 1118. Essa parte, contudo, provavelmente foi escrita posteriormente, com o intuito de exaltar o rei, atribuindo-lhe uma descendência heroica.

A HISTÓRIA DE SIGURD

Certa vez, existiu um rei no Norte que havia vencido muitas guerras, mas agora estava velho. Apesar disso, ele se casou novamente, e então outro rei, que queria se casar com a esposa daquele, investiu contra ele com um grande exército. O velho rei lutou bravamente, mas, por fim, sua espada se quebrou, ele foi ferido e seus homens fugiram. À noite, quando a batalha já havia terminado, sua jovem esposa foi procurá-lo entre os mortos e, finalmente, encontrou-o e perguntou se ele poderia ser curado. O rei afirmou que sua sorte se acabara, sua espada quebrara e ele deveria morrer. Por fim, disse à esposa que ela teria um filho que seria um grande guerreiro e o vingaria do rei inimigo. Além disso, ordenou que ela guardasse os pedaços quebrados da espada para fazer uma nova espada para seu filho, e essa espada deveria se chamar Gram.

Então ele morreu. A esposa chamou a criada e disse:

— Vamos trocar de roupa, e você vai usar o meu nome, e eu o seu, para que o inimigo não nos encontre.

Assim elas fizeram e depois se esconderam em um bosque. No entanto, alguns forasteiros as encontraram e as levaram, em um navio, para a Dinamarca. Quando chegaram à presença do rei inimigo, ele achou que a criada parecia uma rainha e a rainha parecia uma criada. Então ele perguntou à rainha:

— Como você sabe, durante a madrugada, se o dia já se aproxima?

A criada, vestida de rainha, respondeu:

— Eu sei porque, quando era mais jovem, costumava me levantar para acender o fogo, e ainda acordo no mesmo horário.

O rei pensou que seria muito estranho uma rainha acender o fogo. Depois ele perguntou à rainha, que estava vestida como criada:

— Como você sabe, durante a madrugada, se o dia já se aproxima?

— Meu pai me deu um anel de ouro — disse ela —, e sempre antes do amanhecer ele fica frio no meu dedo.

— Uma casa rica onde as empregadas usam ouro! — exclamou o rei. — Na verdade, você não é empregada, mas filha de um rei.

Então ele a tratou como uma rainha e, com o passar do tempo, ela teve um filho chamado Sigurd, um menino lindo e muito forte. Para acompanhá-lo, Sigurd tinha um tutor, o qual um dia lhe sugeriu que fosse falar com o rei e pedisse a ele um cavalo. Então o rei permitiu que Sigurd escolhesse um cavalo.

Sigurd foi até a floresta, onde encontrou um velho de barba branca, e disse a ele:

— Venha! Ajude-me a escolher um cavalo.

O velho lhe disse:

— Leve todos os cavalos para o rio e escolha aquele que nadar até o outro lado.

Sigurd os levou, e apenas um cavalo atravessou o rio. Sigurd o escolheu e o nomeou Grani. Este era da raça de Sleipnir e era o melhor cavalo do mundo, pois Sleipnir era o cavalo de Odin, o deus do Norte, e era tão veloz quanto o vento.

Um ou dois dias depois, o tutor disse a Sigurd:

— Há um grande tesouro de ouro escondido não muito longe daqui, e ele deveria ser seu.

Sigurd respondeu:

— Já ouvi histórias sobre esse tesouro. Sei que o dragão Fafnir o guarda e que ele é tão grande e perverso que ninguém ousa aproximar-se.

— Ele não é maior que os outros dragões — disse o tutor. — E, se você fosse tão corajoso quanto seu pai, não o temeria.

— Não sou covarde — disse Sigurd —, mas por que você quer que eu lute com esse dragão?

O tutor, cujo nome era Regin, disse a Sigurd que todo esse grande tesouro de ouro vermelho pertencera a seu próprio pai. E que este teve três filhos: o primeiro foi Fafnir, o dragão; o segundo era Otter, que podia assumir a forma de uma lontra quando quisesse; e o terceiro era ele mesmo, Regin, que era um grande ferreiro e criador de espadas.

No entanto, havia um anão, chamado Andvari, que vivia em uma lagoa embaixo de uma cachoeira e ali havia escondido um grande tesouro de ouro. Um dia, Otter foi pescar ali, matou um salmão e o comeu. Depois, dormiu como uma lontra em uma pedra. Naquele momento, alguém apareceu, atirou uma pedra na lontra e a matou, esfolou sua pele e a levou para a casa do pai de Otter. Sabendo que seu filho estava morto e decidido a punir a pessoa que o matara, o pai disse que queria ver a pele da lontra recheada de ouro e toda coberta de ouro vermelho; caso contrário, o pior aconteceria com o assassino. Então a pessoa que matou Otter tirou do anão todo o tesouro que ele possuía. Restava apenas um anel, que o anão usava, e até isso foi tirado dele.

O pobre anão ficou muito zangado e lançou uma maldição para que o ouro nunca trouxesse outra coisa a não ser má sorte a todos os homens que o possuíssem, para sempre.

A pele da lontra estava recheada e coberta de ouro, com exceção de um cabelo, que foi coberto com o último anel do pobre anão. No entanto, isso não trouxe boa sorte a ninguém. Primeiro, Fafnir, o dragão, matou o próprio pai e depois se apossou de todo o ouro, deixando seu irmão sem nada, e nenhum homem ousou aproximar-se dele.

Quando Sigurd ouviu a história, disse a Regin:

— Faça uma boa espada para que eu possa matar esse dragão.

Regin fez uma espada, e Sigurd tentou desferir um golpe em um pedaço de ferro, mas a espada se quebrou. A seguir Regin fez outra espada, e Sigurd a quebrou também. Então Sigurd foi falar com a mãe, pediu os pedaços quebrados da espada de seu pai e os entregou a Regin, que forjou uma nova espada, tão aguda que o fogo parecia queimar ao longo de suas bordas.

Sigurd experimentou a espada no pedaço de ferro e ela não se quebrou, mas partiu o ferro em dois. Depois ele jogou uma mecha de lã no rio e, quando ela flutuou contra a espada, foi cortada em dois pedaços. Satisfeito, Sigurd disse que a espada serviria. Antes de enfrentar o dragão, porém, ele liderou um exército para combater os homens que haviam matado seu pai. Matou o rei deles, tomou toda a sua fortuna e foi para casa.

Depois de ficar em casa por alguns dias, ele cavalgou com Regin, numa manhã, até a charneca onde o dragão costumava ficar. Ele viu a trilha que o dragão fazia quando ia beber em um penhasco, e ela era como se um grande rio tivesse passado por ali e deixado um vale profundo.

Sigurd desceu àquele lugar profundo, cavou muitos buracos e se escondeu em um deles com a espada desembainhada. Lá ele esperou, e logo a terra começou a tremer com o peso do dragão, que agora se arrastava para a água. Uma nuvem de veneno voava adiante dele quando ele bufava e rugia, de modo que ficar na frente do monstro significaria a morte.

Sigurd, porém, esperou até que metade do dragão tivesse se arrastado sobre a cova e enfiou a espada Gram diretamente em seu coração. O dragão chicoteou com o rabo até as pedras quebrarem e as árvores caírem sobre ele.

Enquanto morria, ele disse:

— Quem quer que tenha me matado por este ouro, saiba que ele será sua ruína e a ruína de todos os que o possuírem.

Sigurd respondeu:

— Eu não tocaria em nada se, com isso, nunca morresse. Mas todos os homens morrem, e nenhum homem corajoso permite que a morte o afaste de seu desejo. Morra, Fafnir!

E Fafnir morreu.

Depois disso, Sigurd passou a ser chamado de "A maldição de Fafnir" e de "Matador de dragões".

Sigurd voltou e foi falar com Regin, o qual pediu que ele assasse o coração de Fafnir e o deixasse provar dele. Sigurd colocou o coração de Fafnir em um espeto e o assou. Entretanto, por obra do acaso, Sigurd o tocou com o dedo, que queimou. Por isso levou o dedo à boca e, assim, acabou provando do coração de Fafnir. Imediatamente, ele passou a entender a linguagem dos pássaros e ouviu os pica-paus dizer:

— Sigurd está assando o coração de Fafnir para outro, quando deveria provar ele mesmo e aprender toda a sabedoria.

O próximo pássaro disse:

— Lá está Regin, pronto para trair Sigurd, que confia nele.

O terceiro pássaro disse:

— Que ele corte a cabeça de Regin e guarde todo o ouro para si.

O quarto pássaro disse:

— Que ele faça isso e depois cavalgue sobre Hindfell até o lugar onde Brunilda dorme.

Ao saber que Regin planejava traí-lo, Sigurd cortou a cabeça dele com um golpe da espada Gram.

Então Sigurd se lembrou da história de que, em algum lugar distante, havia uma bela dama encantada por um feitiço, pelo qual estava condenada a viver adormecida em um castelo cercado por chamas flamejantes até que um cavaleiro que cavalgaria pelo fogo a acordasse. Ele decidiu ir encontrá-la, mas primeiro foi até a caverna de Fafnir. A caverna tinha portas de ferro e era cavada no fundo da terra. Estava cheia de pulseiras de ouro, coroas e anéis, e lá também Sigurd encontrou o Elmo do Medo, um capacete de ouro que tornava invisível quem o usasse. Tudo isso ele empilhou nas costas do bom cavalo Grani e depois cavalgou para o sul, até Hindfell.

Já era noite. No topo da colina, Sigurd viu um fogo vermelho brilhar no céu e, dentro da chama, um castelo e um estandarte na torre mais alta. Ele cavalgou com o cavalo Grani na direção do fogo e saltou por ele facilmente, como se tivesse saltado uma lareira. Sigurd entrou pela porta do castelo e lá viu alguém dormir, usando uma armadura. Então ele tirou o elmo da pessoa que dormia e notou que ela era uma dama muito bonita. A donzela acordou e disse:

— Ah! É Sigurd, filho de Sigmund, que quebrou a maldição e veio aqui finalmente para me acordar?

Essa maldição caiu sobre ela há muito tempo, quando o espinho da árvore do sono espetou suas mãos, como punição por ela ter desagradado a Odin, o deus. Há muito tempo, também, ela jurara nunca se casar com um homem que tivesse medo e não ousasse cavalgar pela cerca de fogo flamejante, pois ela própria era uma donzela guerreira e entrava armada nas batalhas, como um homem. No entanto, agora ela e Sigurd se amavam e prometeram ser fiéis um ao outro. Ele lhe deu um anel, que era o último anel retirado do anão Andvari.

Sigurd despediu-se e foi à casa de um rei que tinha uma filha justa. O nome dela era Gudrun, e sua mãe era uma bruxa. Gudrun se apaixonou por Sigurd, mas ele só falava de Brunilda, de como ela era linda e querida. Um dia, a mãe bruxa de Gudrun colocou drogas de papoula em um copo mágico e convidou Sigurd a beber à sua saúde. Ele bebeu e, instantaneamente, esqueceu a pobre Brunilda e se apaixonou por Gudrun. Então, eles se casaram com grandes regozijos.

A bruxa, mãe de Gudrun, queria que seu filho Gunnar se casasse com Brunilda. Por isso, disse a ele para cavalgar com Sigurd e ir cortejá-la. Então eles foram para a casa do pai dela. Sigurd havia se esquecido de Brunilda por causa do vinho da bruxa, mas ela se lembrava dele e ainda o amava. Então o pai de Brunilda disse a Gunnar que ela não se casaria com ninguém, exceto com aquele que pudesse atravessar as labaredas em frente à torre encantada. Eles foram para lá, e Gunnar cavalgou em direção às chamas, mas não conseguiu enfrentá-la. Depois, Gunnar experimentou o cavalo de Sigurd, Grani, mas este não se mexeu com Gunnar em suas costas. Então Gunnar lembrou-se da bruxaria que sua mãe lhe havia ensinado e, com ela, fez Sigurd parecer exatamente com ele e ele se parecer exatamente com Sigurd. E foi aí que Sigurd, na forma de Gunnar, montou em Grani, e o cavalo pulou a cerca de fogo. Sigurd entrou e encontrou Brunilda, mas ainda não se lembrava dela, por causa do remédio do esquecimento.

Brunilda não teve outra saída senão prometer que seria esposa de Gunnar, como ela supunha, pois Sigurd usava a forma do outro, e ela jurara se casar com quem quer que atravessasse as chamas. Ele deu a ela um anel, e ela devolveu o anel que ele lhe dera antes, em sua própria forma como Sigurd, que era o último anel daquele pobre anão Andvari.

Sigurd partiu novamente. Ele e Gunnar voltaram às verdadeiras formas. Foram para a casa da bruxa rainha, e Sigurd deu o anel do anão para sua esposa, Gudrun. Brunilda foi para a casa do pai e disse que um rei chamado Gunnar havia atravessado o fogo e que ela deveria casar-se com ele.

— No entanto — disse ela —, pensei que ninguém poderia ter conseguido esse feito a não ser Sigurd, a maldição de Fafnir, que era meu verdadeiro amor. Mas ele me esqueceu e devo cumprir minha promessa.

Gunnar e Brunilda se casaram, embora não fosse Gunnar, mas Sigurd na forma de Gunnar, que havia atravessado o fogo.

Quando o casamento e o banquete terminaram e a magia do vinho da bruxa saiu do cérebro de Sigurd, ele se lembrou de tudo. Lembrou-se de que havia libertado Brunilda do feitiço e de que ela era seu amor verdadeiro. Lembrou-se também de que se esquecera de tudo e se casara com outra mulher e de que conquistara Brunilda para ser a esposa de outro homem.

Contudo, ele era corajoso e não disse uma palavra aos outros para deixá-los infelizes. Ainda assim, não conseguiu evitar a maldição que cairia sobre todos os que possuíam o tesouro do anão Andvari e seu fatal anel de ouro.

A maldição logo se abateu sobre todos eles. Um dia, quando ambas estavam tomando banho, Brunilda entrou mais fundo no rio e disse que fizera isso para mostrar que era superior a Gudrun. Porque o marido, ela disse, cavalgara pela chama quando nenhum outro homem ousou enfrentá-la.

Gudrun ficou muito zangada e disse a Brunilda que foi Sigurd, e não Gunnar, quem atravessou as chamas e lhe deu aquele anel fatal, o anel do anão Andvari.

Então Brunilda viu o anel que Sigurd havia dado a Gudrun, reconheceu-o e entendeu tudo; ficou pálida como uma mulher morta e voltou para casa. Durante toda a noite ela não falou. No dia seguinte, ela disse a Gunnar, seu marido, que ele era um covarde e mentiroso, pois nunca havia atravessado as chamas, mas havia mandado Sigurd fazer isso por ele e fingiu que ele próprio havia feito. E disse que ele nunca a veria feliz em seu salão, que ela nunca beberia vinho, nunca jogaria xadrez, nunca bordaria com o fio de ouro, nunca diria palavras gentis. Depois, Brunilda rasgou todo o bordado e chorou alto, para que todos na casa a ouvissem. Pois seu coração se partiu, e seu orgulho se partiu na mesma hora. Ela havia perdido seu verdadeiro amor, Sigurd, o matador de Fafnir, e estava casada com um homem mentiroso.

Então Sigurd veio e tentou confortá-la, mas ela não quis ouvir e disse que desejava que uma espada atravessasse o coração dele.

— Não demora muito — disse ele — até que a espada amarga esteja atravessada em meu coração, e você não viverá muito tempo depois que eu morrer. Mas, querida Brunilda, viva e sinta-se confortada, e ame Gunnar, seu marido, e eu lhe darei todo o ouro, o tesouro do dragão Fafnir.

Brunilda respondeu:

— É tarde demais.

Sigurd ficou triste, e seu coração ficou tão inchado no peito que estourou os anéis de aço de sua camisa de malha.

Sigurd saiu, e Brunilda decidiu matá-lo. Ela misturou o veneno da serpente e a carne de lobo e os entregou em um prato ao irmão mais novo de seu marido. Quando ele os provou, ficou louco, entrou no quarto de Sigurd enquanto este dormia e o prendeu à cama com uma espada. Mas Sigurd acordou, pegou a espada Gram e a atirou no homem enquanto ele fugia, e a espada o cortou em dois. Assim morreu Sigurd, a maldição de Fafnir, a quem nem dez homens poderiam ter matado em uma luta justa.

Quando Gudrun acordou e o viu morto, gemeu e chorou alto, e Brunilda a ouviu e riu. Nesse momento, o amável cavalo Grani se deitou e morreu de tanto pesar. Isso fez Brunilda chorar, e ela chorou até que seu coração se partiu.

Vestiram Sigurd com toda a sua armadura de ouro, ergueram uma grande pilha de madeira a bordo de seu navio, e à noite colocaram sobre ele Sigurd, Brunilda e o bom cavalo Grani. Em seguida, atearam fogo ao navio e o lançaram ao mar. O vento levou o navio ao mar, flamejando no escuro. Sigurd e Brunilda foram queimados juntos, e a maldição do anão Andvari foi cumprida.

Curiosidades Nórdicas

A KALEVALA

A Kalevala é a epopeia nacional da Finlândia. Ela foi compilada por Elias Lönnrot, que conseguiu reunir e costurar uma extensa coleção de lendas e canções populares em uma única narrativa épica consistente. Ela é uma obra longa, composta por 50 poemas conhecidos como "runos", que contam a história de vários heróis lendários e acontecimentos, como a criação do mundo.

A Kalevala teve e tem até hoje um grande impacto na sociedade finlandesa. Muitos dos nomes dos personagens e lugares mencionados no livro podem ser encontrados hoje em nomes de ruas, bairros, marcas comerciais e empresas. As histórias da Kalevala também inspiraram muito a arte, a música e o cinema do país. Ela foi fundamental na criação de identidade do país, e seu dia de publicação, 28 de maio, foi escolhido como o Dia da Cultura da Finlândia.

Muitos dos poemas giram ao redor de personagens recorrentes. Väinämöinen, por exemplo, um dos heróis do Kalevala, é um velho vidente sábio que pode fazer mágica por meio das músicas que ele canta. Ele é filho de Ilmatar, o espírito virgem do ar, responsável pela criação. Outro grande herói da épica é Lemminkäinen, um aventureiro descrito como bonito, despreocupado e romântico.

Väinämöinen e Lemminkäinen têm alguns objetivos e experiências em comum. Em suas aventuras, os dois homens conhecem Louhi, a rainha de Pohjola (o Norte), e ambos procuram se casar com a filha dela. Um terceiro pretendente da mão da donzela, Ilmarinen, é um ferreiro que constrói uma sampo, um objeto misterioso como um moinho que pode "produzir" prosperidade para seu dono.

Outras figuras se envolvem e se relacionam com eles. Kuura, por exemplo, junta-se a Lemminkäinen em sua jornada para Pohjola. Outro personagem, Kullervo, comete suicídio depois de, sem saber, estuprar sua própria irmã. Joukahainen, um jovem malvado, desafia Väinämöinen a um competição de quem canta melhor. Sua irmã Aino é oferecida em casamento a Väinämöinen, mas se afoga em vez de se casar com o velho. Marjatta é a última personagem principal introduzida no Kalevala e é uma virgem que dá à luz um rei.

Um deus de notável importância é Ukko, o deus do céu e do trovão. Ele também é o deus mais significativo da mitologia finlandesa, e a palavra finlandesa *ukkonen*, que significa tempestade, é derivada de seu nome. No Kalevala, ele também é chamado ylijumala (sobredeus), pois ele é o deus das coisas acima. Ele faz todas as suas aparições nos mitos apenas por efeitos naturais quando solicitado. Enquanto Ukko assumiu a posição de Ilmarinen como o deus do Céu, o destino de Ilmarinen passou a ser tornar-se um herói mortal.

Tapio é outro deus importante. Ele era o deus da floresta, às vezes descrito como uma criatura feroz, parte humana e parte árvore. Muitos outros espíritos de natureza também viviam na floresta. Os caçadores costumavam fazer oferendas a eles e evitavam fazer barulhos altos para não irritá-los.

Acreditava-se que o mundo tivesse sido estruturado a partir de um ovo de pássaro. A terra seria plana, e o céu seria coberto por uma doma, uma cobertura superior que era sustentada por uma coluna no polo norte, abaixo da Estrela Polar.

O movimento das estrelas era explicado como causado pela rotação das abóbadas do céu em torno da Estrela Polar e de si mesma. Nos confins da Terra estaria Lintukoto, "a casa dos pássaros", uma região quente em que os pássaros viviam durante o inverno. A Via Láctea era chamada Linnunrata, "o caminho dos pássaros", porque acreditava-se que os pássaros atravessavam Lintukoto.

Os pássaros também eram os responsáveis por trazer a alma de um ser humano para ele no momento de seu nascimento e levá-la embora no momento da morte. Para proteger a alma durante o sono, era necessário ter uma figura de pássaro de madeira perto da cama. O Sielulintu, o pássaro da alma, protegia a alma de se perder nos caminhos dos sonhos.

RUNAS

O alfabeto rúnico foi o primeiro sistema de escrita desenvolvido e usado pelos nórdicos. "Runa" significa tanto "letra" quanto "segredo" ou "mistério" e, muito provavelmente, antes de ser adotada como alfabeto, era entendida como mensagem silenciosa, oculta. Cada runa era um símbolo ideográfico ou pictográfico de algum princípio ou poder cosmológico, e escrever uma runa significava invocar e direcionar a força que ela representava. Era um meio de comunicação entre o natural e o sobrenatural.

As runas eram normalmente esculpidas em alguma superfície dura, como em pedras, madeira, ossos, ou desenhadas com tinta e caneta em pergaminho. Isso explica sua forma angular, uma vez que eram talhadas sobre a superfície.

Cada runa tinha um nome que sugeria o significado filosófico e mágico de sua forma visual, e o seu som representava quase sempre o primeiro som do nome da runa. Por exemplo, a runa T, chamada Tiwaz na língua proto-germânica, recebe o nome do deus Tiwaz (conhecido como Tyr na era *viking*). Percebe-se que Tiwaz habita no céu diurno e, portanto, a forma visual da runa T é uma flecha apontada para cima (o que certamente também sugere o papel proeminente do deus na guerra).

Os alfabetos rúnicos são chamados de *Futharks*, nome formado pelas iniciais das seis primeiras runas (Fehu, Uruz, Thurisaz, Ansuz, Raidho, Kaunan), da mesma forma que a palavra "alfabeto" vem do nome das duas primeiras letras semíticas (*Aleph* e *Beth*).

Existem três principais *Futharks*:

◊ O *Futhark* Antigo, de 24 caracteres, o primeiro alfabeto rúnico totalmente formado, cujo desenvolvimento havia começado no século I a.C. e foi concluído antes do ano 400.

◊ O *Futhark* Novo, de 16 caracteres, que começou a divergir do antigo *Futhark* por volta do início da Era *Viking* (c. 750 d.C.) e acabou substituindo o alfabeto mais antigo da Escandinávia.

◊ O *Futhark* anglo-saxão, de 33 caracteres, que gradualmente foi alterado e adicionado ao *Futhark* Antigo na Inglaterra. Em algumas inscrições, as 24 runas do *Futhark* Antigo foram divididas em três ættir (nórdico antigo, "famílias"), de oito runas cada, mas não se sabe o significado dessa divisão.

Muito do que sabemos hoje sobre as runas e seus significados se dá aos três *Rune Poems*, poemas da Islândia, da Noruega e da Inglaterra que nos forneceram uma curta estrofe sobre cada runa em seus respectivos *Futharks*.

A explosão do comércio e da interação provocada pela Era *Viking* criou uma crescente necessidade de escrita e alfabetização; assim, os arqueólogos encontraram e catalogaram milhares de inscrições no *Futhark* Novo, enquanto só temos centenas no *Futhark* Antigo.

Enquanto videntes e sacerdotisas ainda usam as runas para perceber os caminhos do cosmos, encontramos muitas inscrições rúnicas relacionadas à lei ou ao comércio, ou simplesmente grafites por onde houve ocupação do povo.

O SIGNIFICADO DAS RUNAS

Existem muitas versões dos alfabetos rúnicos. Cada uma tem variações de nomes, formas, significados esotéricos e usos mágicos. Entretanto, não se deve misturar o *Futhark* Antigo e o Novo, ou os significados ficarão confusos.

As runas são divididas em três *aettir* (no singular, *aett*), isto é, grupos de oito runas. O agrupamento ajuda a lembrar a ordem delas e, mais tarde, como você verá, tem significado nos usos mágicos.

Primeiramente, estará o nome da runa, seguido de uma aproximação de seu som no português, sua imagem simbólica, a cor à qual é normalmente associada e, finalmente, o significado esotérico usado na adivinhação. Alguns usuários de runas acreditam que elas tenham significados diferentes se caírem invertidas, ao que chamam de "*merkstave*" (literalmente "bastão escuro", ou seja, um significado obscuro), dependendo de como as runas são lançadas. Observe que um significado "invertido" ou "*merkstave*" não é o oposto de seu significado primário, mas geralmente tem uma conotação mais negativa.

1ª *AETT* - **Regência de Freyr e Freya**

ᚠ **Fehu**

Som: "f"

Significado: Gado – Riqueza

Cor: verde (marrom)

Posição normal: Fehu é uma runa de poder e controle. Representa novos começos e riqueza "móvel", como dinheiro e crédito. É uma runa que nos dá o poder de que precisamos para obter riqueza, bem como o poder de que precisamos para mantê-la.

Posição invertida: perda de propriedade pessoal, estima ou algo que você se esforça para manter. Indica algum tipo de falha. Ganância, esgotamento, atrofia, discórdia. Covardia, estupidez, embotamento, pobreza, escravidão.

ᚢ **Uruz**

Som: "u"

Significado: *Auroch*, Touro – Força

Cor: laranja (verde escuro)

Posição normal: Uruz também é uma runa de poder, mas, ao contrário de Fehu, é um poder que não podemos possuir nem controlar. Em uma adivinhação, pode significar que o sucesso pessoal está próximo. Uruz é usado em encantamentos e talismãs, em razão de seus poderes de cura.

Posição invertida: Fraqueza, obsessão, força mal direcionada, dominação por outros. Doença, inconsistência, ignorância. Luxúria, brutalidade, frescura, insensibilidade, violência.

ᚦ **Thurisaz**

Som: "th" do inglês

Significa: Espinho (ou Gigante) – Proteção e defesa

Cor: branco

Posição normal: Essa runa representa a capacidade que temos de resistir a conflitos indesejados de maneira passiva. É uma runa de proteção e pode nos contar sobre uma possível mudança, que, de outra forma, teria ocorrido sem aviso.

Posição invertida: Decisão precipitada, cautela e más notícias.

ᚨ **Ansuz**

Som: "a"

Significa: Boca – Comunicação e sabedoria

Cor: roxo

Posição normal: Ansuz é uma runa que simboliza estabilidade e nos mostra a ordem. É também uma runa que indica atividades intelectuais e representa diretamente o sopro divino de toda a vida e criação.

Posição invertida: Falta de comunicação, futilidade e movimento inútil.

ᚱ **Raidho**

Som: "r"

Significado: Roda – Viagem e trilhar espiritual

Cor: azul (preto)

Posição normal: Essa runa nos permite concentrar nossa energia para que possamos obter nossos objetivos. No entanto, para fazer isso de forma eficaz, precisamos estar "no lugar certo, na hora certa". Viagem, união e progresso em direção às metas da vida.

Posição invertida: Rompimento, fracasso e viagem desagradável.

ᚲ Kenaz

Som: "k"

Significado: Tocha – Fogo, sexualidade, criatividade

Cor: amarelo

Posição normal: Kenaz é uma runa de conhecimento, compreensão, aprendizado e ensino. Permite-nos ver as situações com mais clareza do que normalmente veríamos.

Posição invertida: Perda de prestígio social ou de posse valiosa, fim de um ciclo.

ᚷ Gebo

Som: G

Significado: Presente – União, generosidade

Cor: ouro e prata (vermelho)

Posição normal: União, equilíbrio, bons negócios e amor correspondido. Gebo representa a honra e a conexão que são criadas entre as pessoas quando elas trocam presentes. A conexão e a honra são semelhantes à conexão e à honra que uma pessoa tem com os deuses por lhe darem vida.

Posição invertida: Não tem posição invertida.

ᚹ Wunjo

Som: V

Significado: Alegria

Cor: rosa (azul)

Posição normal: esta runa nos mostra o equilíbrio entre todas as coisas, mesmo quando em um mundo caótico. É também uma runa de comunhão, objetivos comuns e bem-estar para todas as coisas. Se você se deparar com essa runa em uma leitura, poderá esperar boas notícias.

Posição invertida: Infelicidade emocional, crise e perda afetiva.

2ª *AETT* - **Regência Deus Hagalaz**

ᚺ Hagalaz

Som: "h"

Suporte para: Granizo – Rompimento

Cor: azul (branco)

Posição normal: Representando uma pedra de granizo, podemos esperar que o tempo e as situações sejam restritivos se Hagalaz aparecer em uma leitura. Mas muito parecido com uma pedra de granizo acabará por se transformar em água, que flui sem problemas. Essas situações e tempos acabarão fluindo sem problemas para nós.

Posição invertida: Não tem posição invertida.

ᚾ Naudhiz

Som: "n"

Significado: Necessidade – Superação das dificuldades

Cor: preto (azul)

Posição normal: Essa runa representa como nossa necessidade ou desejo de algo pode nos restringir. Ele restringe nossas possibilidades, mas também contém o poder de que precisamos para nos libertar dessas restrições. Significa paciência e cautela.

Posição invertida: Não agir precipitadamente, controle a raiva e aprenda com a adversidade.

ᛁ Isa

Som: "i"

Suportes para: Gelo – Obstáculos, bloqueios

Cor: castanho (preto)

Posição normal: Período de gestação, saber esperar o momento oportuno. Isa representa uma parada na atividade até que uma alteração seja feita.

Posição invertida: Não tem posição invertida.

ᛃ Jera

Som: "i"

Significa: Colheita (ou Ano ou Estação) – Equilíbrio, momento certo

Cor: marrom

Posição normal: Jera é uma runa que representa o ciclo da vida. Com essa runa, vemos que devemos seguir o fluxo da natureza para obter os objetivos que queremos.

Posição invertida: Não tem posição invertida.

ᛇ **Eihwaz**

Som: semelhante a "é"

Significado: Teixo – Morte, mistérios e iniciação, recomeços

Cor: branco (verde)

Posição normal: Proteção, final de um ciclo e começo de uma nova vida.

Posição invertida: Não tem posição invertida.

ᛈ **Perdhro**

Som: "p"

Significa: o feminino

Cor: azul (vermelho)

Posição normal: Perdhro nos lembra das incertezas da vida e representa o livre arbítrio e a conexão das restrições que temos em razão de nossas circunstâncias. É visto como uma runa de memória e resolução de problemas.

Posição invertida: Desapontamentos, traições, solidão, vício.

ᛉ Algiz

Som: “z”

Significa: Rena – Proteção

Cor: preto (roxo)

Posição normal: Essa é uma runa de grande poder de contenção, defesa e proteção. Use essa runa em encantos e talismãs para proteger você e sua propriedade.

Posição invertida: Inquietação, vulnerabilidade e perigos vindos de fora.

ᛊ **Sowulo**

Som: “s”

Significado: Sol – força divina

Cor: amarelo

Posição normal: Com a ajuda dessa runa, tendemos a ver as coisas com mais clareza. Como o sol lança luz em tempos escuros, com Sowulo também podemos encontrar a luz em tempos escuros.

Posição invertida: Não tem posição invertida.

3ª ***AETT*** - Regência Deus Tiwaz

ᛏ **Teiwaz**

Som: T

Significado: O Deus Teiwaz – Masculinidade, vitória, lei

Cor: verde (vermelho)

Posição normal: Vitória, discernimento, intuição e poder psíquico. Teiwaz pode nos prometer sucesso em nossas ações, mas desta vez sem sacrifício pessoal. Também significa sucesso em questões "legais", mas apenas se tivermos o direito de começar.

Posição invertida: Problema emocional e força vital sendo desperdiçada.

ᛒ **Berkana**

Som: B

Significa: Vidoeiro – Início, ciclo feminino, fertilidade

Cor: branco (azul)

Posição normal: Como a bétula que vem à vida a partir de uma semente plantada na terra, Berkana representa um novo começo e também é uma poderosa runa de nascimento.

Posição invertida: Confusão, desânimo, separação e carência.

ᛖ **Ehwaz**

Som: semelhante a "é"

Significa: Cavalo – Confiança, fé, companheirismo.

Cor: vermelho (branco)

Posição normal: Ehwaz nos lembra de que, para o sucesso, deve haver um fluxo natural na tarefa em questão. Com essa runa para nos dar poder, bem como fazendo uso de nossas boas intenções, certamente podemos alcançar esse sucesso.

Posição invertida: Saber esperar, evitar ação e mudança.

ᛗ Mannaz

Som: N

Significa: O ser humano – Humanidade, consciência, memória

Cor: azul (roxo)

Posição normal: Mannaz tem muitos poderes. Primeiro, é uma runa que nos permite saber que podemos alcançar todo o nosso potencial. Em segundo lugar, lembra-nos de que todos nós, como seres humanos, compartilhamos experiências na vida. Por fim, podemos usar o poder dessa runa para ganhar vantagem em disputas e argumentos.

Posição invertida: Falta de fé, bloqueio e inimigo oculto.

ᛚ Laguz

Som: L

Significa: Água (ou lago) –o subconsciente

Cor: preto e branco (verde)

Posição normal: Laguz representa o poder da água e sua natureza que flui facilmente. Precisamos aprender a "seguir o fluxo" quando esta runa aparece em uma leitura, para que possamos tirar o máximo proveito de nossos poderes.

Posição invertida: Pensamento confuso, engano e fracasso.

ᛝ Inguz

Som: "ng" como em "longo"

Suportes para: Fertilidade

Cor: castanho (preto)

Posição normal: Essa runa nos permite espalhar nossa energia por toda parte. É uma runa protetora principalmente para a proteção de nossas casas. Para usar o Inguz efetivamente, precisamos aprender a aumentar nossos poderes ao longo do tempo e depois liberar o poder de uma só vez.

Posição invertida: Não tem posição invertida.

ᛞ Dagaz

Som: D

Suportes para: Dia

Cor: amarelo

Posição normal: Dagaz representa uma estabilidade entre opostos, como claro e escuro. Isso pode impedir que a energia prejudicial chegue até você, mas ao mesmo tempo permitir que a boa energia deslize para que você possa fazer bom uso dela.

Posição Invertida: Não tem posição invertida.

ᛟ Othala

Som: o

Significa: Casa (ou Odla - terra ancestral sagrada

Cor: cobre (marrom)

Posição normal: Bem como Fehu, isso é uma runa de riqueza. Mas, diferentemente de Fehu, Othala representa uma riqueza que não pode ser vendida, como família, amizades ou nossa cultura e herança que é passada para nós. Representa um recinto e mantém o estado existente das coisas como elas são atualmente.

Posição invertida: Não tem posição invertida.